世界のニュースを日本人は何も知らない3

谷本真由美

はじめに

世界的に大流行した新型コロナウイルス感染症の影響で世の中は大きく変わってしまいました。前作の『世界のニュースを日本人は何も知らない2』では、コロナで発生した大騒動を中心に、日本ではなかなか報道されることがない世界のさまざまなニュースや意外な事実をご紹介しました。今回はその続編です。

本作では二〇二一年の東京オリンピック（「TOKYO 2020」）が海外でどのような受け止め方をされたかをはじめ、コロナに関連した世界の批判的な意見や日本の対応策への評価、日本人が知らない「世界における日本の文化や評価」など、みなさんが普段あまり触れることがないような世界の驚くべき事実をまとめています。

さて、このシリーズをご愛読いただいているみなさんは、なぜ私がこのような本を書いているかということに興味があるかもしれません。それは、普段から海外で起こっているさまざまなニュースを見たり収集するのが趣味だからです。

私は、現在はロンドンに住居を構えていますが、かつては国連の職員などとして日本、イギリス、アメリカ、イタリアなど世界各国での勤務経験がありました。

しかし、もともとバックパッカーだった私は、そこまで真剣な気持ちで海外に来たわけではありません。旅行の延長のつもりでさまざまな国々で働くなかで、日本で暮らしていては知りえない変わった情報や〝しょうもないネタ〟を見たり聞いたりすることが非常におもしろかったのです。

さらにさかのぼると、私が子どもの頃に存在していた「宝島」という雑誌のあるコーナー（「VOW」）にたどりつきます。それは日本全国の謎の看板や風変わりな商品、おかしな注意書きの看板などを読者が投稿するスタイルの内容でした。当時、小学校高学年だった私は、毎回の投稿を待ちわびて楽しく読んだものです。

そのうちに海外からの情報も混ざるようになり、それがなんと衝撃的だったこと。「そうか、海外に行けばさらに強烈なおもしろいネタがあるにちがいない」と、当時の私に深い印象を残しました。

高校二年の時には、雑誌で出会った台湾のペンパルのもとに居候しました。当時の台湾は路上の屋台で海賊版のカセットテープや日本のいかがわしいビデオを人目もはばからず売っているような状態でした。それを屋台の横に置いた粗末なテレビで（たくさんの人が行き交うなか）無造作に流していたのです。ある意味とても自由な雰囲気で町中に「ＶＯＷ」へ投稿できそうなネタが山のように転がっていました。

高校生の時点でこのような世界に触れてしまった私は、その後も折を見てはおもしろい情報をさがしにフラフラと海外へ出かけるようになります。そして四〇代となった現在も、子どもがいるのにいまだ同じようなことをやっており、まったく発展性がないといってもいいでしょう。

つまりこの「世界のニュースを日本人は何も知らない」シリーズは、あくまで私の趣味の延長で書かれたものです。日本で報道されない海外の〝おもしろ情報〟はもとより、ときには知らないと人生に多大な影響を及ぼすような情報・ニュースを集めてみなさんにお届けすることで、話題のタネになればいいという目的で記しています。

ただし、収集しているデータはどれも嘘やあいまいな情報ではありません。きちんと裏づけがあったり、実体験であったり、取材をしているという点で〝まじめ〟なのです。

前作同様、本作の最後には世界の重大ニュースに触れる方法を明記しました。こちらもご活用いただけますと幸いです。

目次

第2章 世界の「オリンピック熱」を日本人は何も知らない……47

第3章 世界の「日本のイメージ」を日本人は何も知らない……61

第4章　世界の「日本の人気」を日本人は何も知らない……77

第5章　世界の「同調圧力」を日本人は何も知らない……105

第7章　世界の「イギリス王室と政治家」を日本人は何も知らない……157

第1章　世界の「ずさんな戦略」を日本人は何も知らない

気候変動に関する過去の予想がほとんど外れていた

日本では小泉進次郎氏が環境大臣だったころ、エコロジーに関する話題が増えました。いまやレジ袋が廃止されるなど環境対策が国の重要な施策のひとつになっており、日本の今後の戦略を決めるための大切な事柄になってきています。

ところが他の国では若干この環境に関する様相が変わってきているところがあります。そのきっかけになっていることのひとつが、ここ四〇年ばかりの気候変動に関する予測の大半が大ハズレだったことです。

驚くべきことに、一九七〇年代後半から二〇〇〇年代前半の有名な予測はほとんどが外れているのです。そのもっとも代表的な事象は、一九七八年の「二〇二〇年のCO2濃度が六六〇ppm（当時の倍）になる」でした。

たしかに大気汚染がひどくなった国や街はあります。とはいえ技術革新やその後の省エネによりこれらは大きく外れています。マイアミ・ヘラルド紙の一九八六年九月二一日の記事によると、アメリカ環境局は一九八六年に「二〇二〇年までにフロリダでは海面が二フィート（約六十センチ）も上昇する」と予測しましたが、実際には一九六〇年から二〇二〇年までの間に四～六インチ（約一〇～一五センチ）上がっただけで、これは想定よりもはるかに低いものでした。

二〇〇〇年にイギリスの気象庁（ハドレーセンター）のデヴィッド・パーカー氏は、「イギリスの子どもは近い将来、雪はインターネットの中でしか体験することができなくなる」と「インディペンデント」紙に寄稿しています。ところがイギリスでは二〇一〇年と二〇二〇年に交通が麻痺するほどの大雪が降りました。そのあいだにも雪はけっこう降っています。

環境保護団体のグリーンピースは二〇〇〇年、各新聞社に対して「温暖化により太平洋諸国の島々は経済的に崩壊している。特にツバル（オセアニアに位置する九つの島からなる国）はひどい」と述べました。ところがツバルは二〇二〇年までに六年連続で過去最高の経済成長を遂げているのです。

また「USA Today」は二〇一三年、北極は二〇二〇年までに氷が溶けてなくなると報じました。実際には二〇二〇年時点でそんな事態は起きておらず、残っている氷は三五五万平方キロメートル。これは同紙が「消える」と言い張った氷の面積と同じです。

さらに「The Los Angeles Times」は二〇二〇年までにモンタナ州北部のグレイシャー国立公園の氷河がすべてなくなると報じたのですが、氷河は減りませんでした。この予測が外れたので公園サイドからは「氷河が消えて公園は終わる」と書かれた標識が撤去されました。

振り返ると、石油が枯渇する議論も三〇年ほど前は大騒ぎになりました。私が子どもの時はこの世の終わりという感じで『ノストラダムスの大予言』と並んだ大人気ネタでした。ところがプラスチックは相変わらず身近にあふれガソリンもある。最近のヨーロッパでは電気自動車の発電機をガソリンで充電するサービスが登場しているほどです。これらをみてもわかるように「石油万々歳！」の様相を呈しています。

二〇〇六年にはアメリカの副大統領だったアル・ゴア氏が「キリマンジャロ山の雪の消失」を予言しますが、これも大ハズレでした。雪はまだ残っているし一〇年ちょっと前の予測も外れている。あの気候変動の大騒ぎはいったい何だったのかという疑問が各所でわいてきているのです。

その一方で二〇〇九年、中国は二酸化炭素排出量を二〇二〇年までに、二〇〇五年比で四〇％から四五％ほど減らし、インドも二五％から二〇％に減らすと宣言。ところが両国とも二〇二一年まで増加の一途をたどっています。

欧州はエコ大国――それは大ウソ

このように気候変動の予測はかなりの確率で外れています。ヨーロッパの環境に対する取り組みを実生活の中で眺めてみると、気候変動の予測の多くが相当適当である理由がなんとなくわかります。日本では、ヨーロッパの国々がエコロジー大国だと言い張る有識者がかなりいるのですが、これは大ウソ！　実は欧州の環境対策は進んでいるどころか、いい加減もいいところなのです。

世界的にみて日本ほど熱心にリサイクルをやっているような国はありません。日本のみなさんは、日本がリサイクル技術では世界の最先端をひた走っている国のひとつだということを知らないかもしれません。一般の人のゴミの分別も日本ほど細かい国はほかにないのです。

なぜそれを知らないかというと、日本人は海外の情報の表層的な部分しか知らないからです。実際はどうなのかわからないので「海外はもっと進んでいるはずだ」「かなり真面目にやっているはずだ」と思いこんで、日本が負けてはならぬと根を詰めて熱心にやってしまうからなのです。

実は〝超適当〟な欧州のゴミ分別

みなさんがエコロジー大国と思い込んでいるイギリスの場合、そのゴミの分別方法が大雑把なことに驚いてひっくり返る方が多いでしょう。分別方法は住んでいる自治体によるのですが、ほとんどの場合は分別の種類が三通りから五通りぐらいしかありません。細かくすると覚えられない人が多いため大雑把にしてあるのです。さらに外国人が多いため英語で細かく分別についての説明をしてもわからないからです。

たとえば以下に記したのがよくある分別パターンです。

・燃えないゴミ（缶、ビン、プラスチックなど）
・紙
・生ゴミ
・庭の草や木
・布
・それ以外（埋め立てるので何でもＯＫ）

だいたいこの程度の分け方です。それでも近所の住民からは「分別が細かい」と大変な苦情がきます。結局ゴミの種類ごとに色が異なるゴミ箱が配られて、そこにゴミを入れて家の前に置いておくと回収車が来て持っていってくれます。

ただ、これもそんなに甘い話ではありません。最近は自治体も予算が厳しいので回収は二週間に一回程度です。外に放置のゴミ箱はキツネやネズミに漁(あさ)られ、道路や街中ではドブネズミをみかけます。増えたネズミは住宅地の庭に登場し家の中にも入り込むので、最近のイギリスではネズミ駆除業者やネズミ捕り販売業者が大繁盛です。日本で昭和の半ばに使っていたような、木の板と針金でつくられたネズミをバチンとはさむアイテムが大人気。私はイギリスに来てから使い方を覚えました。

大雑把で労働が大嫌いなイギリス人ですから、ルール違反をする人も大量にいます。たとえばゴミ箱からゴミが大幅にはみ出して、ゴミ箱の倍ぐらいのものが上に積み重なっているとか、生ゴミに他のものを混ぜているとか、そのような調子です。

さらに粗大ゴミは自治体のリサイクルセンターに持ち込めば無料で回収してくれるのですが、それすら面倒くさい人がいます。また、産業ゴミを出す業者のなかにもそうした人がいて、他人の家の庭や森の中へ大量にゴミを捨てて逃げていくことがよくあります。ひどい場合は車を走らせながらゴミを投げ捨てる人もいるほどです。

家屋の裏の道路にはそういうことをする車がひっきりなしに通るので、近所の住民が怒って監視カメラを設置した時期がありました。このように不法投棄をする人々が大量にいるので、イギリスは森の近くや投棄されやすい場所には監視カメラがやたらと設置してあります。そこはさすがスパイ大国。中途半端な監視カメラではなくナンバープレートまでしっかりと映るようなガッツリとしたものです。

分別ゴミの中で「なんでもぶち込んでいい」というカテゴリーがあります。これは何かというと埋立地に持っていくゴミのことです。イギリスでは日本のようにチマチマと何でも焼却しているのではありません。いまだに埋立地があって、そこに雑多なゴミを入れ込んでいるのです。

その一方で日本は、日々熱心に焼却炉の熱効率とか熱を再利用する話を一生懸命しているのに、日本のマスコミがエコ最新大国と報じているヨーロッパの国はこんな杜撰(ずさん)なことをやっているのです。

さらに驚くべきことに、分別ゴミも日本のように事細かに分けない理由があります。それは回収所でゴミを種類ごとに分ける労働者がいるからです。その労働者は少なからず外国人労働者で、彼らがいることを前提にしているので日本のようにいちいち細かくゴミを分けないのです。

さらに大雑把なイタリアのゴミ収集

　このような大雑把なゴミの分別はイギリスだけではありません。イタリアはもっとひどく、たとえば自治体によっては道路の脇に直径二メートルぐらいの巨大な鉄製のゴミ箱が置いてあって、そこに何を入れてもいいということになっています。それでも燃えないゴミと燃えるゴミは分けているのですが、大雑把な住民が多いので何でも放り込んでしまうのです。

　そのようなゴミ箱は明け方とか真夜中に巨大な車が来て、ロボット付きのクレーンで吊り上げて回収。このようにゴミの回収の仕方がダイナミックなのです。

　とはいえ予算がないので、実際にはゴミが一カ月も二カ月も放置されることになる。以前にナポリで予算不足のためゴミの収集がストップしてしまったときは、こういったゴミ箱からゴミが大量にあふれる事態となりました。

　日本ではゴミが回収されないことは想像できませんが、予算に乏しい欧州大陸ではこういったことが頻繁に起こるのです。ちなみに、これはイギリスでもまったく同じ。たまに市役所のゴミ収集係員がストを起こすと、ゴミが数カ月も回収されなくなる。ゴミが回収されようがされなかろうが街中にネズミがあふれようが我関せずです。

こういったことは日本ではまったく話題になりません。ヨーロッパの人々に、日本では三〇年以上前からゴミ焼却場の熱を利用した温水プールがあって、だれでも格安で利用できるといっても信じてもらえません。そんなことをやっているのはヨーロッパの街でもごくごく一部。はっきりいって欧州全体でみると、日本のほうが三〇年先を突き進んでいるのです。

イギリスではリスがドブネズミ扱い

日本と海外とでは食生活や日常の習慣だけではなく、動物に対する感覚が異なるのもおもしろいところです。たとえばイギリスでは日本ではかわいいとされている動物が恐ろしい害獣扱いをされていることがあって驚かされます。

動物愛護といっても、すべての動物を愛護しているわけではありません。愛護するのは知能が高い動物や見た目が可愛いものだけです。相変わらず牛や豚は大量に消費しているし、金持ちは狩りにも出かけます。

日本では愛されるのにイギリスでは粗末にされる動物の代表がキタキツネです。日本だと『北の国から』というドラマやムツゴロウさんの「どうぶつ王国」などの影響でキツネというのは可愛くて、なんだかロマンティックな動物という印象があります。ところがイギリスでキツネは完全に害獣でゴキブリのような扱いをされている。それはキツネが貴重な家畜を食べてしまうからです。

話はそれますが、イギリスはみなさんの印象とはちょっと違って牧畜がたいへん盛んなところで都市部でも身近に牧場があります。ロンドンからちょっと車で走っただけでも牧場が広がり羊や牛がたくさん放牧されていて、きちんと飼育し食べています。肉はほとんどが国内産で、牛乳やチーズはイギリス人の生活に欠かせない食料ですから酪農はすごく重要な産業なのです。

さらにキツネは家畜を食べてしまうだけでなく、民家の庭に入ってきては残飯を漁りコンポストまで食い荒らす。ときには赤ん坊を噛んで大怪我させてしまうような事件が起こることもあります。

キツネが民家に入ってきてしまう理由は、自然が減ってきていて餌がないからです。また宅地開発が進み、昔は家がなかった地域にも次々と新しい住宅が建っている。なので本来はキツネの居住地だった場所に人間が進出してしまったという理由もあります。

キツネはエキノコックスという寄生虫を持っているので病原菌の媒介を恐れる人が多いのです。そのため子どもたちは小さい頃からキツネをはじめ野生の動物には絶対に触らないようにきつく言われます。とにかくイギリス人はキツネをみると、「かわいい！」ではなく、「またあの害獣が来た」と怒るのです。

次に驚くべきことは、イギリスではリスがドブネズミ同様の扱いをされていることです。ロンドンほどの大都市でも公園や民家の庭にたくさんのリスが跳び回っています。リスをあまり見たことがない人は、可愛さのあまり餌をあげようとします。

ところがイギリス人にとってリスは、庭の作物を荒らし、球根を掘り出したうえに花壇をメチャクチャにする。しかも病原菌を持っている恐るべき野生動物なのです。住民たちはなんとかリスを追っ払うためにリスよけの電子機器を設置し、子どもにも近寄らないよう注意します。

ほかにもイギリスでは、日本ではあまり見かけないようなアナグマも庭にやって来るのです。アナグマも花壇を荒らしたりするので人によっては害獣扱いをしています。

イギリス人の追い払い方はとてもユニークです。うちの家人の場合、ジャガイモを投げて追っ払う。なぜジャガイモかというと、ぶつけても大怪我をしないし自然と土に還るからです。人によってはエアライフルでキツネを撃つこともある。

さらにはリスを捕獲して食べてしまう人もいる。以前イギリスの左翼系チャンネルで紹介されていた料理の方法はリスのミートソースでした。国が変われば動物への認識もこんなに違うのです。

象は性格が悪い

これはイギリスの話ではないのですが、私の大学院時代における友人の動物に対する認識は、われわれの予想をはるかに超えていてたいへん興味深いものでした。

それはボツワナとレソト（南アフリカの内陸にある国々）の出身である友人たちの話です。

あるとき野生動物に関する会話になった。キリンはかわいいねとかライオンはかっこいいみたいな話をしていたら、いつしか象の話に変わる。すると彼らは普段は穏やかなのに口調が豹変し「象は獰猛で性格が悪いから絶対に許さない」というのです。私は、象が日常生活で当たり前にいることがおもしろかったのですが当の本人は真剣です。

彼らの国では野生動物がいることは当然でサファリもすぐそこにあります。彼らは地元民なので野生のアニマルを見にいく外国人の気がしれないと熱心に語っている。たしかに近くにいると日常化し、わざわざ見に行こうという気にはなりません。

さらに犬に関する認識も国によって違うのが興味深いところです。

以前、私が友人のボリビア人と犬のことで雑談していたときのこと。「日本ではちょっと前にシベリアンハスキーとかポメラニアンが流行っていたのよね。犬はかわいいのがいいわ」と気軽に話した私に友人は激怒して口走りました。

「お前、何をいっているんだ！　犬がかわいいわけないだろう！」

ボリビアにおいては、犬は働く動物だそうです。多くの家では犬を番犬として飼っています。広大な家は鉄条網で囲まれ、さらにその鉄条網の上には電流が流れている。ときどき強盗がやってくるので、防犯のために人間を噛み殺すことができるドーベルマンを何匹も飼っているのだというのです。

彼らにとって良い犬の定義は、一発で犯罪者を仕留められる獰猛な犬かどうかです。ペットとして可愛がるなど理解できないといって怒っています。彼の国の状況を考えると言われるとおりだなと思いますが、動物への認識はところ変われば本当に変わるものですね。日本での常識が海外ではまったく通用しないことがよくわかります。

イギリスの家に暖炉とバーベキューセットがある理由

東日本大震災が起きてから一〇年が過ぎました。あの残酷な記憶が薄れないうちにと防災対策を見直している方も多いのではないでしょうか。

私が日本のことでとても気になっているのは、これだけ災害が多いのにオール電化のマンションや家屋が相変わらず人気で、家電や熱源なども電気に頼るようにしている人が多いことです。これはイギリスからみるとすごく危うい感じがします。

イギリスに来た日本人が驚くことに、家庭内の家電やトイレ、洗面所などありとあらゆるものが〝日本の昭和〟で止まっていることがあります。電子化やシステム化がされていないものだらけだというのです。

ところが高度に電子化されていて電気に頼りきっていると、電気の供給が止まったり機械が故障した場合は暖房が使えなかったり、煮炊きができなくなってしまったりするのです。これがマンションの場合、水を吸い上げるポンプや排水も機能停止してしまうので、トイレやお風呂が使えなくなることがあります。これは地震やその他の災害ですでに体験なさった方がいるでしょう。

イギリス人は普段から疑り深いところがあって、電力会社やガス会社を信用していません。災害が少ないイギリスでも、電気やガスがなくてもなんとか生活できるような態勢を整えています。イギリスをはじめヨーロッパは日本に比べると電気やガス会社の仕事もかなり雑なので停電も頻繁で、間違ったパイプの工事をしてガスが出なくなるといったこともめずらしくありません。

またインターネットも突然接続が切れて二週間から三週間まったくつながらなくなることもあるのです。私もそういう体験をしています。

以前、インターネットが二週間つながらなくなったときはヘルプデスクに電話をしても「それは俺の責任じゃないから知らない。俺が直すわけじゃない。困ってるのはあんただけではない」と冷たくいわれました。そのうちに電話がインドにしかつながらなくなり、インドの人は何をいっているかよくわからずネットもまったくつながらず、使用料の割引も一切ないという厳しい経験をしました。

いくらクレームをつけても何も改善されないので、あきらめている人が多いです。そうかといって、他のプロバイダーに変えても同じような調子なのでどうしようもない。そんな状況なのでヨーロッパでの生活でもっとも重要なことは、とにかく何も期待せず、すぐにあきらめることです。

プロバイダーからはインターネット回線を二本引き、さらにプリペイドSIMでモバイルインターネットを確保しています。何事も信用できないので、どんなことでもバックアップを備えることが重要です。こんな調子なので、イギリスで要領が良い人は電気やガスが供給されなくなっても、なんとか生活できる態勢を整えています。

そのひとつが暖炉です。イギリスでは一九六〇～七〇年代までは、どこの家でもセントラルヒーティング（全館集中暖房）があまり普及していなかったので、暖炉は暖房の熱源として一般的に使われていました。またその一〇年くらい前までは石炭を使っていたので、子どもの仕事のひとつは石炭屋さんから毎日石炭を買うことでした。

昔は料理の熱源も石炭です。少し古い家だと当時の暖炉がそのまま残っているので、地域によっては今でも石炭を使うことが可能です。暖炉なら薪や石炭さえあれば暖をとれるし、工夫すれば料理だってできる。停電になってもガスが来なくてもなんとかなる。まさに「アナログ最強」ですね。手慣れている人は業者から薪を買ってきて暖炉を使っています。ファッション感覚で暖炉を使っているわけではないのです。

さらに薪のほうが光熱費は安く済みます。イギリス人は合理的で無駄なことにはお金を使わないので、ネットでは薪にした場合の光熱費がいくら節約できるかといった議論が延々と繰り広げられています。

ある人は庭にレンガでオーブンを造っている。これも災害対策になるし、ガスを使うよりも安いのでケチなイギリス人には大人気です。もちろんファッションで使用している人もいるのですが、賢いイギリス人の場合は明らかにリスク対策です。

欧州の人は機械を信用しない

イギリス人は家の中でのオール電化や高度に電子化されたものを使うのを嫌がります。たとえば水道の蛇口ですが、日本のようにタッチレスで水やお湯が出るものは少ない。最近は増えてきているのですが、まだまだマイナーです。

トイレは昔ながらの単純な構造のもので、ほとんどの家では水やお湯がピュッと出てお尻を洗える便座が付いていません。その便座も昔ながらの冷たいままのものです。

給湯器も単純な仕組みになっています。通常は駐車場や物置に給湯器が付いていて、そこから台所やお風呂、部屋の中に設置されたセントラルヒーティング用のラジエーターにお湯を送るようになっている。パイプが単純になっているので、どこかでお湯を使っていると他の部屋ではお湯の出る量が少なくなります。

そのために、お湯が沸くまで一時間以上待たなければならないことも。日本みたいに性能が良いものはあまりなく、瞬間湯沸かし器自体ある家庭は少ないです。

イギリスの家屋やオフィスビルがこんなにアナログで電子化されていないのにはさまざまな理由があります。そのひとつが、機械類がすぐに壊れるので誰も信用していないことです。イギリスだけではなくヨーロッパの機械は頻繁に故障します。品質管理がよくないのか構造が雑なのかよくわかりませんが、とにかく壊れてしまうのです。

これは水道の自動式蛇口だけでなく掃除機や電子レンジなども同じです。そのため、オフィスでタッチレスの蛇口にするとたちまち壊れ、頻繁に修理人を呼ぶ羽目になってコストがかかる。故障中はオフィスでお茶も飲めず従業員たちは怒り心頭、出社を拒否することもある。イギリス人にとってお茶やコーヒーは重要なのです。

イギリスだけではなくヨーロッパではこういった機械を直す人を探してきたり頼んだりするのが大変です。しかも人件費がすごく高いので、修理を頼むより買ってしまったほうが安く済む。もともと高価な自動式の蛇口とか複雑なボイラーなどは修理費用もかさむので、最初から単純で安めなものにしておいたほうがいいのです。

そのうえ修理人が運よく見つかっても、その人の仕事のスキルがどの程度なのかわからない。かなり適当な仕事をして逃げてしまう人もいるのでまさにギャンブルです。

スキルが高い人に当たるまで何年もかかることもあり、優れた修理人を知っている人は近所や友人にすごく重宝がられ聖人扱いされる。これほど大変なので最初から自分で直せるような単純な昔ながらのものにしておいたほうが安全なわけです。

イギリスをはじめヨーロッパでは、日本のように最新式の機械は嫌がる人が多いし、高いお金をかけて導入する人は皆無。日本のようにボタンひとつで湯船に自動でお湯が供給されて、「お風呂に入れます」と声で知らせてくれるようなものはありません。

さらになんでも自分で修理するのが当たり前なので、日本に比べると部品を売る店が多くマニュアルも売っている。工具も豊富なので自分で直すスキルがアップ。このモノをやたらと直す傾向は旧ソ連出身の友人たちに多く、車や家電を修理するのがうまかったことを覚えている私としては思わず懐かしくなった次第です。

欧州人の機械嫌いと駅

イギリス人だけでなく欧州人の機械に対する信用の低さは各国の駅からも見ることができます。日本人がヨーロッパの駅に着いて驚くことは、その仕組みがおそろしくアナログで単純なことです。切符の券売機は日本のハイテクな機械と比べものにならない。ボタンが少なく、そのボタンも昔ながらのプラスチックやアルミのボコンと飛び出たものです。

券売機に表示される画面も単純なメニューのものが多く、日本のようにさまざまな割引切符や回数券、行き先ごとに細かく値段が表示されるものはあまりありません。

券売機自体もアルミやプラスチックの無骨なデザインで、日本の感覚からすると昭和五〇年代みたいな雰囲気です。券売機の中身にも驚きます。以前イタリアの券売機が壊れてドアが開きっぱなしになっていたことがありました。そこで私が目撃したものは、その中になんと「Windows XP」のパソコンがゴロンと入っている光景でした。

さらにドアが開きっぱなしでも誰かがそれを閉じるとか直すではなく何時間も放置さ

れている。そんな状態では中に入っているお金が盗まれそうな感じなのですが、自分の家のお金ではないので駅員さんも無関心なのでしょう。

ところで他の国でも駅の券売機は時折故障することがあり、まったく信用できません。プリペイドカードのトップアップ（チャージ）がうまくできたり、チケットが無事に出てきたりすると小躍りしてしまうほどです。

このように機械のメンテナンスが雑で、とにかくよく壊れます。だからヨーロッパの人々はあまりハイテクなチケットなどは信用していません。国によっては今でも紙の切符に穴あけ機で穴を開けて使うようになっています。また人件費を節約するため、車掌さんや駅員さんはおりません。

このおそろしくアナログなシステムに驚く日本人は多いですが、これは現在の話です。ロンドンなど大都市の場合はプリペイドカードで乗れたり「Apple Pay」で乗り降りができたりしますが、これも長いあいだ浸透せず、乗客はみなさん昔ながらの紙のチケットをせっせと買っていました。このように駅でさえも券売機が壊れたりメンテナンスが不十分だったりする理由は、人があまり働いていないからです。

機械のメンテナンスを細かくやらなければ日本のようにスムーズに動きません。また日本では気がついていない人が多いと思いますが、日本の券売機や駅のさまざまな機械は常にピカピカに磨かれていて清潔です。あれはメンテナンスの方やお掃除の方が一生懸命手入れをしているからです。

ではヨーロッパではどうでしょうか――。

そういった機械はいつもドロドロになっており、手垢や埃だらけです。それを見て「これが機械の自然な状況だ。公共の場に置いてあるんだから汚れるよね」となる。それにヨーロッパではサービス残業がありません。

従業員には有給休暇をバシッと取らせるので日本に比べると労働工数が少なくなってしまいます。また働く人もあまり気合を入れていないので、日本ほどは公共の場に置いてある設備がピカピカにならないのです。

つまりヨーロッパは人がそんなに働かないことを知っているので、機械が壊れることを最初から想定しています。壊れるのが想定内なので、その場合のことを考えていろいろ対策をしている。数でいうと「機械が壊れるのは当たり前」という国のほうが多いので、日本のほうがめずらしい存在といえるでしょう。

日本でDXが進まない理由

最近、日本では「デジタルトランスフォーメーション」（DX）というIT用語が流行っています。経済産業省のDXを推進するための「DX推進ガイドライン」によれば、DXとは「企業がビジネス環境の激しい変化に対応し、データとデジタル技術を活用して、顧客や社会のニーズを基に、製品やサービス、ビジネスモデルを変革するとともに、業務そのものや、組織、プロセス、企業文化・風土を変革し、競争上の優位性を確立すること」と定義されています。

ひとことでいうと「ITを活用してもっと儲ける」という意味です。日本ではなぜか、どこもかしこもDXですが、海外ではこのワードは一般的ではありません。コンサル会社とか、ごく一部のビジネス系メディアが使っているだけです。かつての「IT化」と最近の課題が大きく異なるのは技術面の激変と外部環境の変化ですね。

技術に関してはＡＩの登場だけではなくビッグデータからソーシャルメディア、通信環境の向上、スマートフォンやタブレットの登場というようにビジネスプロセスの大幅な見直しが必要なものが大量に登場しています。

外部環境の変化に関しては市場の変化やグローバル化が大きく、さらに今回のコロナ禍による働き方改革やビジネスプロセスの見直しがあります。また日本に関しては少子高齢化による労働力の減少、国内市場の縮小という他の先進国よりも厳しい条件が追加されます。

さて私が驚かされるのは、日本でいまさら「ＤＸをやりましょう！」ということが話題になっている件です。ヨーロッパではそんな概念的な話はとっくの昔に終わっていて、今は何を実践し、より効率的に収益性を高めるかが課題になっています。

カンファレンスでもメディアでも業界の集まりでも「ＤＸをやりましょう！」なんて総論は話題にもならないし、語っている暇もありません。なにせ今はコロナ禍でどこもそんな余裕はなく、どうやってデジタル化を効率よく進めて組織を「潰さないようにするか」ということが中心です。

欧州のそのような状況はマッキンゼー・アンド・カンパニーが二〇一六年に発表した「2016 Industry Digitization Index」にもあらわれています。欧州全体のデジタル化浸透度は一二％でもっとも高いのがイギリスの一七％です。アメリカの一八％には及びませんが、全体としては行政でもビジネスでもかなりのデジタル化が進んでいます。

保守的にみえるヨーロッパですが、ビジネスでも普段の生活でも日本よりさまざまな点でデジタル化が進行し、それが顕著なのが行政サービスです。納税や情報配布などのデジタル化の徹底度合いは日本とは比べものになりません。

金融も進んでいる分野で、特に「Fintech」(従来の金融サービスとＩＴ技術を組み合わせた領域）は欧州全土で展開する企業も多く、その柔軟性や利便性は驚くべきレベルです。

なぜ日本よりもアナログな国が多いヨーロッパでデジタル化が進んでいるかというと最大の原因は人件費の高さと労働慣習です。ヨーロッパは雇用規制が日本よりもはるかに厳しいため労働工数の管理に厳密な国が多く、有給も全部消化、ルーズな印象の南部でも労働時間をきっちり守るので日本のようにダラダラと仕事をすることができません。費用分しか仕事をしないので、収益性を高めたい場合は日本のように精神論などに頼らず、デジタル化して効率化する他ないのです。

実際にヨーロッパで経営企画や管理業務をやるとよくわかりますが、とにかく人件費が高い。その割には熱心に働かないので、いかに短時間で結果を出すかが大切で効率化を進めるしかないのです。

お金を払っても働かないし怒っても効果はなく、納期の遅れは当たり前。間違いも多く、間違っても気にしない。日本のような品質は期待できません。

とにかく日本式が通用しないので、管理側がうまく回る仕組みを工夫しなければなりません。そこで結局、システム化がもっともコストがかからないので進んでいきます。いちいち人を入れ替えて訓練するよりも、機械をいれてエイヤッでやってしまうのがいちばん確実なのです。

私が現場で観察してきた感覚では、日本でＤＸが進みにくい理由は、欧州のような環境がないがために効率化や付加価値の増加という動機が薄いからだといえます。ＤＸというと日本の場合、すぐに技術やトレンドの話になりがちで、バズワードの言葉遊びで終わってしまうのですが、ポイントはそこではなくもっと根源的なものなのです。

第2章　世界の「オリンピック熱」を日本人は何も知らない

欧州の人々は東京オリンピックをガン無視していた

日本では二〇二一年の夏、新型コロナウイルスが猛威をふるっている渦中にオリンピックとパラリンピックが開催されました。日本のマスコミの方から「イギリスはじめヨーロッパでは東京オリンピックがどんなふうに話題になっていますか」と多くの問い合わせをいただきましたが、実際はほとんど騒がれていませんでした。

そのため東京オリンピックのコロナ対策も同じくニュースにはならない。たまに取り上げられるとしたら、開会式が実施されるスタジアムはキャパシティが最大八万人程度で今回は無観客。選手たちはソーシャルディスタンスなどの対策を講じつつ入場するという話などでした。それもほとんど新聞の三面記事以下の扱いで、開会の日まで走り継がれてきた聖火リレーもまったく話題になっていませんでした。

連日コロナと東京オリンピックについて報道していた日本と比べると、その温度差に日本のみなさんは驚くでしょうね。

なぜヨーロッパでは東京オリンピックが主たるニュースにならなかったのか——。

それは、イギリスをはじめヨーロッパではオリンピック自体が世の中で話題になるイベントではないからです。

オリンピックの競技を思い浮かべてみてください。体操、陸上、水泳、マラソン、フェンシング、柔道、新体操、ヨット、重量挙げ、テニス、野球、サッカー……等々、オリンピックの花形競技の大半がヨーロッパでは中流以上の裕福な層がやるマイナースポーツばかりなのです。また、体操や水泳や柔道はプレーするのに設備が必要です。

ヨーロッパは公共教育がかなり貧弱で、どこの学校にも立派な体育館や体操設備があるわけではありません。プールがない学校のほうが多いので、こういうスポーツが中流以上で私立の学校に通えるような、お金に余裕がある人々のものになっているのです。

オリンピック種目を見たことない人々であふれている欧州

ヨーロッパは治安が悪いところも多く、長距離をランニングするような場所は少ないです。貧困地域の歩道は整備されておらず、優雅にランニングなどできる地域は自治体の財政が豊かで富裕層が住んでいるところです。

誰もが使えるような豪華なグラウンド、歩道、マラソンコースはほとんどありません。そのためマラソンの練習ができる場所は限られてくるのです。

フェンシングや重量挙げのような競技はユニフォームや道具が必要で、やり投げや棒高跳びの道具がそろっている学校はほとんどない。そもそも学校に陸上部がないのです。陸上競技のグラウンドもなくハードルを見たことがない生徒は大勢います。

日本のアニメに登場する陸上部、水泳部、バスケットボール部などはヨーロッパにありません。だからそういったアニメが羨望の眼差し（まなざ）しで見られている。「部活に青春をかけて頑張るぞ！」みたいな類いは経済的に恵まれた人たちだけのお話なのです。

貧しい地域にあるイギリスの公立小学校では、体育が週一回一時間だけ。指導というよりはサッカーなどを軽くやって終わりです。私学の熱心な学校は体育が週に四時間もあります。さらに自校の温水プールで毎週の水泳指導が一年中。週末や早朝には学校主催の朝練があります。日本の幼稚園児の年齢にあたる学年からやるのです。

私学の体育教員は大学院の修士や博士課程で体育理論を学んだプロの指導者や元プロ

のスポーツ選手、プロのコーチなので、運動が苦手な子どもでも上手になります。優秀な子どもを選抜して幼稚園児の年齢から選手育成コースに入れて訓練するので、イギリスの学校の選手権でトップを独占するのは私立に通う生徒だらけです。

また中高の運動奨学金を独占するのも私立出身の生徒です。もともと恵まれない子どものためにつくられた返還不要奨学金が、私学で訓練を受けた子どもに独占されている。対抗試合は私立校だけで実施して公立とは一切接触なし。これをなんと日本の小学校一年生にあたる年齢からやるのです。強い学校のプロ訓練を受けた生徒同士がやり合うので、さらに上達していきます。

「ほんとうにそうなの⁉」という方、本当なんです。実際にヨーロッパの公立学校に来ると、その設備の貧弱さを見て唖然(あぜん)とする方が多いのです。

オリンピックの起源は貴族のお遊び

オリンピックとは、ヨーロッパの貴族の人々がみんなで戦争をやめてスポーツで交流をしましょうという〝綺麗事〟で始めたイベントです。彼らが慣れ親しんでいたスポーツは道具や場所が必要なハイソなものだらけ。参加するのもそういう階級の人々ばかりだったので、貴族がやるスポーツが中心に選ばれました。

そのため、ボールが一個あれば庶民が楽しめるサッカーがオリンピックで花形競技になるのにはかなりの時間がかかりました。ところがサッカーは貴族のスポーツとしてはふさわしくないので、今でも中心的な競技として位置づけられていません。貴族や王族、上層の階層が「私はサッカーファンです」と言いながらサッカーを観にいくのはマーケティング活動の一環なのです。

歴史的にこのような経緯があるので、ヨーロッパではオリンピック選手を一国のヒーローとみなすとかセレブリティとして扱うなどの習慣がありません。日本のように体操の内村航平さんが国民的人気者になったり、柔道の田村亮子さんのように政治家へ転身したりすることは、これまでほとんどないのです。

逆に庶民にとっては、オリンピックは貴族趣味でお金が出回っているのでむかつくことのほうが多いのです。彼らが大好きなサッカーにはワールドカップやユーロ選手権があるしお金も賭けるので、オリンピックよりも盛り上がります。

日本では一九六四年の東京オリンピックが国の成長と結びついたおかげでオリンピックが庶民も楽しめるイベントとして確立されています。スポーツについても公教育における体育を重視（もちろん私立もですが）。多種多様なスポーツに国民が親しむような教育制度を設計し、体育館やグラウンドにも大がかりな投資をしてきました。

その成果もあって日本国民はさまざまなスポーツに偏見をもたず親しむ文化がある。スポーツ階級分断の道具ではなく、あくまで健全な心身の発展と青少年の交流の機会ととらえる価値観が根づいている。こういう考え方は素晴らしいです。

ただ日本のように庶民がオリンピックを楽しむ国は世界的にみるとめずらしいです。私がラジオ媒体などでオリンピックのことを聞かれたとき、そのへんの背景を詳しく説明する時間がないので、「ヨーロッパではオリンピックがガン無視されている」としか言えないのが残念です。この場を借りて「歴史的な背景があるのでヨーロッパではオリンピックが重要視されていない」ことをお伝えしたいです。

これはヨーロッパと日本の社会の違いを考えるうえで案外重要なことです。スポーツと一口にいっても歴史的背景と社会の仕組みの影響でここまで扱いが違ってくる。ヨーロッパは階級にとらわれすぎてしまって、日本のように良いものは良い、楽しいものは楽しいと素直に受け止められないのかもしれません。

欧州のオリンピック選手の名前と階級

先ほどオリンピックとは、ヨーロッパの貴族における社交のためのものだったので、庶民ができるようなスポーツはほとんどないと言いました。でも最近はスケートボードやストリート系の競技も加わり、庶民化してきたのではと思われるかもしれません。

ところがヨーロッパの伝統や歴史はそう簡単に変化するものではなく、それほど状況は変わっていない。それがはっきりとわかるのが選手の顔ぶれと名前です。

たとえばイギリスの場合、オリンピック選手の多くが白人のイングランド人で、そのほとんどが保守的な名前の人です。例外が陸上競技、バスケットボール、サッカーで、これらの種目はスポンサーがつくのでアフリカ系が多い。イングランド人やイギリスに多いはずの南アジア系、東アジア系はほぼいません。

それ以外の競技はスポンサーがつきにくいので家庭が裕福でないとそのスポーツ自体ができません。そのため特定の階級の選手が集中してしまうのです。

顕著なのは水泳で、イギリスだけでなくヨーロッパでは日本のようにプールが多くありません。公立の学校には立派なプールがなく、公営のプールも数が少ない。あっても設備が古いのでオリンピック選手になるような練習には適していません。さらにプールがある学校は私立に偏り、そういった学校は学費がたいへん高いです。

そうかといって日本のようにスポーツクラブがアチコチにない。あっても月謝が高いので裕福でないと通えません。イギリスでオリンピックの水泳選手になるような人は、スポーツがもともと優秀で親にもやる気がある。さらには奨学金をもらって私立の裕福な学校で訓練を受けるなどして親がかなりのお金をかけています。

実際にイギリスのオリンピック選手をみてみましょう。

次ページをご参照ください。

●金メダル

Thomas Pidcock（自転車 男子マウンテンバイク）

Tom Daley and Matty Lee（飛び込み 男子シンクロナイズド10ｍ高飛込）

Adam Peaty（競泳 男子１００ｍ平泳ぎ）

Tom Dean（競泳 男子２００ｍ自由形）

●銀メダル

Duncan Scott（水泳 男子２００ｍ自由形）

Bradly Sinden（テコンドー 男子68 kg級）

Lauren Williams（テコンドー 女子67 kg級）

Alex Yee（トライアスロン競技 男子個人）

Georgia Taylor-Brown（トライアスロン競技 女子個人）

●銅メダル

Chelsie Giles（柔道 女子52kg級）
Bianca Walkden（テコンドー 女子67kg超級）
Charlotte Dujardin（馬術 馬場馬術団体）

ざっと眺めるとわかりますが、メダリストの姓が「Williams」「Dean」「Daley」「Lee」などといった伝統的なイングリッシュ名が多いです。これがいかにイギリスの「特別なこと」なのか大都市の人口構成を知っているとよくわかります。

たとえばロンドンの場合。今や人口の半分近くが外国生まれでイングリッシュの伝統的な姓を見かけるほうがめずらしい。その一方で目立つのはインドやパキスタン系、中華系、東欧系、カリブ海系の名前です。

イングランド人が多い地方都市でも特定の集団を伝統的なイングリッシュ名が占めるのは、今のイギリスにおいてはめずらしいこと。しかもメダリストの中には混血の人がほとんどおらずスコットランド系やウェールズ系、アイリッシュ系も稀(まれ)です。

さらに、ここで彼らのファーストネームに注目してみましょう。

「Thomas」「Tom」「Adam」「Duncan」「Bradly」「Lauren」「Alex」「Charlotte」「Georgia」。見事に伝統的かつ古式ゆかしいイングランド人らしい名前です。特に男性の多くは聖書から取られたもので実に古典的です。ここ三〇年ほどのイギリスの子ども名前ランキングにはあまり登場しないことからも、やや古いことがわかります。日本風の名前に直すと、太郎、一郎、義則、政則、花子、清子、菊子みたいな感じですね。

メダリストの出身家庭はイングランド系の豊かな家庭で両親はイギリス国教会の信者でかなり保守的な人々だということがよくわかります。イギリスの中の上の家庭は日本以上に保守的で、それなりの家庭では子どもの名前、特に男子の場合は聖書からしか取らないということが多々あります。

そのような習慣なので仕方ないのですが、新しくつくった名前や流行りの名前は極力避ける傾向があります。特に金融街や大学など保守的な職場にいる高学歴の人々は名前も保守的です。いわゆるＤＱＮネームの人々はほとんどいません。

ここ二五年あまりのイギリスではＤＱＮネームが子どもの名前の主流になっており、古典的な名前をつける親は少なくなっています。これは格差社会の象徴といえるでしょう。所属する階級によって子どもにつける名前がまったく異なっているのです。今は保守的な私立の学校やイギリス国教会系の学校に行かないと、こういうコンサバティブな名前の子どもはほとんどいないのが実情です。

第3章　世界の「日本のイメージ」を日本人は何も知らない

動画サイトで日本の街の風景が大人気な理由

最近の動画サイトは街の風景を撮影したものが大人気です。コロナ禍でなかなか外出できないとか、旅行できないということもあるのでしょう。そんな状況下で海外で人気があるものに「日本の風景」があります。ネットに張り付いていない方は、そういう動画では京都や富士山、いわゆる日本の美しい風景が人気だと思うかもしれません。

ところが実際は大きく異なっています。海外の人々が大騒ぎして観ている日本の動画は、近所によくあるようなスーパー、通勤風景、川、駅のプラットホーム、駐輪場、パチンコ店など、美しくもなくおもしろくもないような日常の風景なのです。

なぜ海外の人々は日本の日常の風景にいちばん興奮するのでしょうか。

それは日常の風景に、海外ではありえない驚きや独自性があふれているからです。

海外の人々が驚いているのが日本の街並みの清潔さです。郊外の雑多な場所やあまり豊かではない地区、田舎の風景などを見ても、あちこちでゴミが散らかっているということはまずない。道路に謎の液体がまかれていたり糞尿が山積みになっていたりすることもない。そしてバス停も破壊されておらず、車を盗もうとしている人もいません。

日本で普通に生活しているとなかなか気がつかないことですが、日本中どこでも清潔でゴミがほとんど落ちていません。他の国では道路がゴミだらけなのが日常化しています。海外の人々は「日本にはどうしてゴミを捨てる人がいないのか」と思い、「罰金を徴収するなどの厳しいルールがなくても街をきれいに保つことができる」ことに大いなる驚異を感じているのです。

ところが動画の中に映る日本の街並みも決して豊かとはいえず、道路はひび割れていたり橋も錆びていたりします。ガードレールや道路標識はかなりお粗末な出来で、ヘナヘナの金属でできている。明らかにここ三〇年ほどメンテナンスがされていないであろう古臭いものです。そして動画の中に映る街はあくまでごく普通の場所です。高級住宅地というわけではなく、高価な材木を使って建てた家でもありません。都市計画もあまり進んでいないことがよくわかります。

そのような、あまり豊かに見えない街並みであってもゴミが落ちていない。つまり、さほど豊かではない地域であっても住民のモラルが高く清潔なので、ほかの国の超高級住宅地並みに見えてしまうのです。こうした何気ない動画を観るだけで住民の質が高いことがよくわかります。

このような動画から海外の人々は「日本人は現代であっても清貧で禅の精神を保っている」との印象を受けます。物質主義で精神よりもお金を優先させる他の先進国と日本を比較すると、このような精神性を有している日本は、世界的にみても特別めずらしい国に映るようです。

先進国の生きがいブーム

海外の人々が動画を観て日本人の高い精神性を感じることからもわかるように、日本人はまだまだ海外からは独特で特殊な存在として注目をされています。それがよくわかるのが、英語圏におけるここ数年の「生きがいブーム」です。

最近一〇年ほどの間にアメリカやイギリスなどの英語圏では、精神的なゆとりや豊かさを求めるキーワードや活動が流行るようになりました。特にそれがリーマンショックの後からかなり目立つようになったようです。

第一次ブームとして流行り始めたのが北欧のライフスタイルです。ＩＫＥＡの家具が一般的になったせいなのか、英語圏でも北欧の「生活にゆとりを持ち身の丈に合った暮らしをしましょう」という概念が大流行しました。それにともない、これまでロココ調のゴテゴテしたインテリアが大人気だった英語圏で、シンプルな北欧風のインテリアや料理が人気を集めました。デンマークの「ＨＹＧＥＥ」（ヒュッゲ）がその代表です。

その後、ここ五年くらいの間に流行り始めたのが「生きがい（IKIGAI）」や「Ｚｅｎ」のブームです。シンプルな暮らしや精神性を突きつめていった結果、もっと深いところにたどりついたのでしょう。英語圏の著者が、日本の〝生きがい〟や〝沖縄の精神〟についての本を出版したりテレビで紹介したりと「第二次Ｚｅｎブーム」が起きています。「Apple」の創業者であるスティーブ・ジョブス氏が若かった頃、アメリカやイギリスで日本文化ブームが起きました。若い人が禅道場に通ったり、『スター・ウォーズ』に日本の時代劇や侍の精神性が反映されたりしたようなことが最近復活しています。コロナ禍のさなか、アメリカだけではなくイギリスや欧州北部でも日本の食材は売り上げを伸ばしており、スーパーでは頻繁に日本食のセールが開催されています。

それを後押しするように二〇二一年九月、ヘビーメタルバンドのアイアン・メイデンが日本の侍をモチーフとした新作アルバム『Senjutsu』（戦術）を発表しました。これまでの彼らはアレクサンダー大王や宇宙をモチーフにしていたので、突然、侍が出てきたのはなぜなのか謎です。もしかしたら彼らなりに最近のＺｅｎブームやコロナ禍における日本の精神性に、なんらかの影響を受けたのかもしれません。

ちなみに、『Senjutsu』のジャケットは日本の落ち武者です。こだわりはそれで終わらず、アルバムのデラックス版には折り紙で製作された日本の兜（かぶと）やのし袋まで付く。文部科学省や宮内庁はアイアン・メイデンに国民栄誉賞を差し上げてほしいものです。

日本は意外にも多様性に寛容な国

二〇二一年、コロナ禍によりいろいろな難題を抱えながらも東京オリンピックが開催されました。今回のオリンピックで日本はメダルラッシュでしたね。そのなかで特に目立ったのは外国にルーツをもつ選手の大活躍ぶりです。

日本選手団旗手の男子はバスケットボール選手の八村塁さんが務め、柔道代表のウルフ・アロンさんは金メダルを獲得。お二人ともお父さまが外国人、お母さまが日本人で日本生まれの日本育ちです。お二人以外にも日本のトップアスリートのなかには外国人の両親をもち、日本で育ち、日本で活躍している方がいます。

このように海外にルーツをもつ日本人が大活躍している事実は驚くべきこと。近隣国のオリンピック選手を見てください。韓国や中国にはこんなに多様なルーツをもつ選手はあまりいない。それは東南アジアや南アジアに関してもまったく同じです。

日本以外のアジア諸国は日本よりも多様な人種が住んでいるため、外国人の数も多いです。日本は逆であり世界でもっとも同質性の高い国のひとつ。先進国において外国人の比率がもっとも低くなっています。そんな日本で多様な人々がトップアスリートとして大活躍し、日本の保守層が彼らを攻撃するといったことがほとんどなかったのは驚きでした。

とはいえ日本という土地の性質をふまえると、この現象は驚くようなことではないかもしれません。日本は島国で古来、外部の人々や文化を受け入れてきた。それを独自のものにし発展してきた国です。これは世界的にみると異常なことです。

それはなぜか――。他の土地では異なった風習や文化をもった人間たちは抹殺されてしまうことが多いからです。ところが日本は渡来人がやってきてもなんとなくゆるりと文化を取り入れてきた。柔軟性があるといえばそうだし、節操がないといえばそうともいえる。ようするに、ゆる〜いところがある島国なのです。

そのゆるさはアジア太平洋の文化圏のなかに所属しているからこそでしょう。文化人類学的にみると日本の文化はどちらかといえば太平洋諸島に近い部分があり、大陸文化圏のロシアや中国、韓国とはかなり異なっています。これは日本の家族の概念やさまざまな儀式、言葉などをみれば明らかです。

日本語も東南アジアや太平洋諸島の影響を受けている部分があります。たとえば擬音語や様子をあらわす言葉にはマレー語やインドネシア語の影響が強い。そういうところから日本は比較的、外のものに関して寛容な感じがするのです。

ここでポイントは、外国の血を引く人や外から来た人であっても、日本の地元のしきたりや考え方に染まることがきわめて重要だということです。彼らは外国の血を引いていても村のコミュニティーの一員として迎えられるので（そうとうの努力もされているかとは思いますが）、見た目はあまり重要ではなくなるのです。この感覚も太平洋諸島的なものだといえるでしょう。

日本人女性は国際結婚がわりと多い

これらに関連して日本の人々が注目すべきなのは、日本の女性は柔軟に海外の人と結婚しているという点です。日本では国際結婚がかなり増えており、最近は女性が外国の方と結婚するというケースが増えています。

これはアメリカやカナダ、イギリス、オーストラリアといった国に留学した方はよくわかると思いますが、こういった国に留学した日本の若い女性は、日本人以外のボーイフレンドと付き合ったり結婚したりする人がめずらしくありません。

私の周囲で一九九〇年代に留学されていた日本人女性で、修士号以上を取得した方の場合、その一〇〇％近くの配偶者が外国人です。

ところが近年の東アジア諸国では、娘の結婚相手が外国人なら絶対に許さない家庭も多く、実際、彼氏も彼女も配偶者も同じ国の人がほとんどです。一〇〇％とはいわなくても、人種が異なる人と一緒になるのは稀。さらに近隣国の場合、留学先で就職して定住したとしても、わざわざ本国からお嫁さんやお婿さんを連れてくる例もめずらしくないのです。

なぜ日本人女性だけが、こんなに自由に配偶者を選んでいるのでしょうか。

おそらく家族が本人の意思を尊重し柔軟に考えているからでしょう。また、ここ三〇年あまりでは親が見合いで子どもの結婚相手を決めるのは非常にめずらしいことになりつつあります。女性も自由な生き方を選びやすい国なのです。

一九七〇年代や八〇年代のテレビや雑誌では、芸能人が外国人と付き合っていたり結婚したりという話題が大きく報道されていました。しかし、現在の日本では一般人でも国際結婚はめずらしくなくなってきて、あまり驚かれなくなりました。

さらに三〇年ほど前に比べると驚くほど多様な人がテレビに出るようになり、一五年ほど前からテレビのニュースキャスターも外国にルーツがある方が増えてきています。

このように日本は大きく多様化してきているのです。

海外よりはるかに進んでいた日本の漫画やアニメ

アメリカやヨーロッパでは、ここ一〇年ほど政治的な配慮からコミックスや映画などに女性や人種的少数派のキャラクターを多数、登場させました。

たとえばアメリカで一九八四年に公開された映画『ゴーストバスターズ』の二〇一六年のリメイク版では、主人公たちがすべて女性の科学者になっています。これは科学者にも女性がいるということを示すためのものでした。

ところが男性のダメなオタク系科学者たちが世界を救うというプロットが下地の映画だったので、これを女性にしてしまうと本質がずれてしまってまったくおもしろくない。政治的な配慮のためにストーリーやおもしろさを犠牲にしたのです。

ほかにも次々とスーパーヒーローが女性に置き換えられたり、人種的少数派のキャラクターがストーリーの中心になったりしています。

さらにアメリカやイギリスの歴史ドラマには、中世なのにアフリカ系や東洋系の騎士や貴族が登場することがめずらしくない。歴史考証が必要な作品でもこんな調子です。ところが日本はアメリカやヨーロッパよりも数十年、いや数百年前に多様なキャラクターが導入されていました。

たとえば、みなさんが教科書で学んだ鳥獣戯画もそのひとつ。日本人はあんな大昔に動物を擬人化しキャラクターとして楽しいお話の中に登場させていた。そのデザインや動きはユーモラスでストーリーも楽しさに満ちあふれています。

ヨーロッパの昔の絵画は一般大衆向けではなく、お金と権力を持った人々が自分の力を誇示するためのものでした。その中に登場するのは偉そうな人間だらけです。しかし、日本のコンテンツは違います。西洋世界の宗教観や世界観とはまるで異なるものが自由に展開され、手塚治虫先生の漫画やアニメでは一九六〇~七〇年代に女性が主人公の『リボンの騎士』『ふしぎなメルモ』が登場しています。

日本は少女漫画の世界でも女性が強いキャラクターとして大活躍する作品が一九六〇

年代から存在。『ベルサイユのばら』『エースをねらえ！』『キャンディ・キャンディ』は女性が強いコンテンツです。『はいからさんが通る』『アタックNo．1』『ガラスの仮面』『美少女戦士セーラームーン』も同様です。『新世紀エヴァンゲリオン』『機動戦士ガンダム』に登場する女性たちも気が強く自立していますね。また石ノ森章太郎の「〇〇九」シリーズには多国籍なキャラクターが登場します。

さらに『ブラック・ジャック』や『どろろ』の主人公は身体障害者です。そして『座頭市』は日本で一九四八年に小説として発表され、一九六二年には勝新太郎主演で映画が大ヒット。どの作品も主要キャラクターが障害者だからヒットしたわけではなく、作品としておもしろかったからです。

アメリカでは映画でもコミックでも障害があるキャラクターが主人公の作品がほとんどありません。ドラマにも登場しない。『スター・ウォーズ』のダース・ベイダーことアナキン・スカイウォーカーだって、オビワン・ケノービに溶岩へ突き落とされて四肢切断、一生涯、呼吸器が必要な障害者であることはエピソードⅢまで明確になりませんでした。

日本では昔から欧米よりも多様な漫画やアニメが存在

スーパーヒーローものでは一九六四年、アメリカで『デアデビル』が登場します。彼は放射性物質を浴びて子どもの頃に失明し、昼は盲目の弁護士、夜はスーパーヒーローとして活躍するキャラクターです。ところが映画化はなんと二〇〇三年とかなりあとになってのこと。『座頭市』に比べてなんと遅れていることでしょう。

また『鉄腕アトム』はロボットが主人公で、人間とロボットの関係に悩みます。欧米ではロボットが主人公の子ども向け作品はほとんどありません。そんな深いテーマを語るような作品もない。ハリウッドコンテンツは日本に比べて遅れているのです。

ロボットが人間のように動き、人間と交流する作品は日本から『トランスフォーマー』が輸入されるまではほぼありませんでした。ハリウッドで映画化されたので今では『トランスフォーマー』がまるでアメリカの作品のようにみられていますがれっきとした日本の作品です。

トランスフォーマーにそれぞれ個性があり、人間と交流し、仲間の人間を守るというストーリー自体が革命的でした。キリスト教圏では「人間は神が創造したもの」なので、人間が創造した機械が人間のような心を持って悩み、人間との関係構築に苦労するというのは彼らの宗教観からするとありえないことです。

日本は仏教が伝来する以前から自然信仰的な考え方がありました。すべてのモノには心があり、道端の石や草木であってもそこには心や霊魂があるという教えで、これは数多くの災害がある日本列島ならではの考え方です。人間は自然に比べ小さな存在で自然には計り知れない力がある。それを抽象的な深い縁でとらえた結果なのです。

日本では古くから「自然は征服するものではなく共存するもの」でした。これは日本の伝統的な建築物や田園の造り方などを見ても明らかです。自然を破壊するのではなく、そこにあるものを生かして共存していく考え方が色濃く反映されています。

キリスト教圏の建物は常に自然と対立し征服するという視点がある。これは、彼らの生活している土地が日本のように大災害に見舞われる頻度が低いことと関係しているのでしょう。つまり、このような世界観の違いがロボットという人工物に対する態度の違いとして表れているのです。

ここ三〇年ほど西洋では「自然と共生」「エコロジー」の概念が定着しつつあります。それ以前に日本では、自然と共生し石ころや人工物に心があるという認識をもっていたので、日本のほうがエコロジーの観点ではるか先を行っていたのです。

このように日本では遠い昔から、ハリウッドやヨーロッパの映画やテレビよりも多様なキャラクターやストーリーが登場する漫画やアニメ、そしてドラマが多彩に存在していたのです。

第4章　世界の「日本の人気」を日本人は何も知らない

世界一品質が良いと評される日本の文房具

コロナ禍以後、海外でもオンラインショッピングが大流行です。コロナ禍ではリアルな店舗に行くのも躊躇(ちゅうちょ)するので、オンラインで少し変わったものを買ってみようという人が増加。外国から商品を取り寄せる人もいて、その需要に応えるように最近ではアマゾンなどのネット通販で海外から買い物することがたいへん便利になりました。

アマゾンで海外のものを購入すると、配送から税関での手続きまでやってくれるのですごく便利です。イギリスの場合は国内で買い物するよりも日本から取り寄せたほうが通常は速く、私もいろいろと〝輸入〟しています。

それに気づいたのは私だけでなく、多くのイギリス人などヨーロッパの人々でした。彼らは日本からいろいろなものを購入しています。その彼らが買っているモノは種々雑多な商品で、なんと日本から文房具やら駄菓子そしてカップ麺にいたるまで大量購入しています。自国にもあるのに、なぜ日本から買うのか――。

日本の文房具や食品はたいへん優れモノなのです。独自の味付け、独自のパッケージ、そして値段が安い。食品は味もよいので根強いファンがいるのです。

特に文房具に関しては日本製品の品質の良さがよく知れわたっています。学校や職場で日本のボールペンやその他の文房具を机の上に置いておくと、いつのまにか消えてしまうことがよくある。日本の人には想像できないことですが、イギリスをはじめ欧州大陸には手癖の悪い人も多いのです。

自分のものと他人のものを分けて考えない方もいるので、同僚の机からボールペンを持っていってしまって返さない人がめずらしくありません。

もちろんそういう職場ばかりではないのですが、あくまでも全体的な傾向です。

学校では普段から新品の体操着一式とか靴まで他の生徒が持っていってしまうことがよくあります。ちょっと変わった文房具や質の良さそうなものがあったら、それを軽い気持ちで拝借してしまうのです。

なぜそこまで日本の文房具が人気かというと、とにかくヨーロッパでは値段が安く質の良い文房具が少ないからです。もちろん日本のコレクターの人々が集めているようなドイツ製の超高級文房具も存在しますが、そんなものはなかなか売っている店がない。

存在そのものを知らない人も多いのです。

特にヨーロッパの紙類は品質がかなり悪いため日本のコクヨの激安ノートを見せると現地の人々がたいへん驚きます。それでもヨーロッパにはフランスやドイツ、イタリアに高級文具メーカーがあるからまだマシですが、アメリカの場合は「文具砂漠」といった状況です。紙の質はヨーロッパよりも落ちるし、ボールペンは途中でインクが出なくなってしまうものだらけです。

日本の文房具マニアの人が欧米に住んだら一週間ほどでノイローゼになるでしょう。流行や品質に敏感な若い人々は日本の文房具の性能をよく知っている。特に漫画を描く人や絵画に携わる人々は、わざわざ日本から文房具を取り寄せているのです。

なぜ海外の人々は日本の駄菓子をわざわざ輸入するのか

先ほど述べたように意外と人気なのが日本の駄菓子やカップ麺です。なぜそんなものをわざわざ日本から取り寄せるのか――。

日本の加工食品のパッケージは独特のエキゾチックな文字で書かれています。欧州の人々がまったく理解できないひらがなやカタカナが並び、そのうえ漢字も記してあり、パッケージの色の使い方やキャラクターもユニークで世界観がまったく違うのです。

お菓子のコンセプトも異なります。

たとえばヨーロッパには「きのこの山」や「たけのこの里」のような野菜や果物をお菓子にでもしたような遊び心のあるものがほとんどありません。とはいえイースターの時期やクリスマスにはサンタの形をしたチョコレートとかウサギの形をしたビスケットが売られています。しかしそれはあくまで特別な行事用のもので、普段のお菓子にそういった遊び心と細かい加工があるものはないのです。

ヨーロッパのスーパーやコンビニエンスストア（コンビニ）に並ぶのは大人向けの板チョコやトリュフチョコなどです。味は良いけど、あくまでも大人向け。子ども向けのお菓子はミミズのようなものやクマの形にしている程度で、日本に比べると種類が限られています。

日本だとグミでお寿司を作れるお菓子のセットとか、キャラクターの形をしたものがたくさんあります。それがまたシーズンごとに続々と新作が出てくるのです。

おもちゃ付きのお菓子の品質も考えられないような高いレベルで、一〇〇円か三〇〇円ほど出せば精巧なおもちゃ付きのお菓子が買えます。それほど細かい工夫をしたものはヨーロッパにはないので、日本のお菓子を知った人々は異常に喜びます。母国のモノとはあまりにも違うからです。

日本のお菓子はさまざまな工夫があるだけではなく味も良いです。ビスケットは軽やかな風合いになるようにいくつかの油脂を組み合わせるなど、一〇〇円程度のビスケットであっても、いくつもフレーバーが用意されています。

グミにしても日本のものはビタミンが入ったものから濃縮した果汁がたっぷりと含まれたものまであります。欧州のグミには果汁がほとんど含まれておらず、砂糖とゼラチンで固めただけの無骨な昭和的なものばかりです。味も形も何十年と変わりません。

消費者がそういった新しいものを求めないからなのか、それとも売る方にやる気がないからなのかよくわかりません。とにかく同じものを延々と売っていて、創意工夫とか新しいものをどうにかしようという気力がないようです。ところが日本のメーカーは何かに追い立てられるように次々に新しいものを開発します。

さらにそういったお菓子のパッケージも少量のものを個別包装するなど、衛生にも大変な気を遣っています。一〇〇円もしないような駄菓子でも、そんな気の遣いようだから海外の人はたいへん驚きます。しかも値段は激安で、母国のお菓子に比べたら三分の一か四分の一なので日本からの輸送費を払っても安く感じるのです。

欧州でバカ売れしている日本の道具

欧州の人々に大人気な日本の道具や工業製品があることをご存じですか――。

それはＤＩＹの道具、大工道具、そして建築用の重機、商業トラックなどです。日本は〝ガテン系ワールド〟ではスーパーヒーローなのです。

投資をされている方は知っているかもしれません。日本の主要なメーカーは海外での販売比率がかなり高い会社が多いのです。これらのメーカーは日本国内で消費者向けに派手に広告宣伝をしているわけではないので、業界以外の方は知らなくて当然でしょう。

日本の少子高齢化をいち早く見据えて、海外にターゲットを絞っていくなかで地道な営業をしていた成果が出ているのです。

ＤＩＹの道具でもっとも人気があるメーカーのひとつはマキタです。イギリスだけではなくヨーロッパ各国の家庭や建築現場で脚光を浴びた、あの緑のドリルなどが大人気です。一般家庭向けの道具だけではなく、プロの大工さんや電気工事士などがマキタの製品を愛用しているのです。

マキタはいち早く国際化を遂げた企業です。一九九〇年代にアメリカのハードロックバンド、ミスタービッグのギタリストのポール・ギルバート氏がマキタのドリルにピックをつけてギターを弾くというステージアクションをやったときは、間髪入れず彼を広告に登場させました。保守的な日本の企業であれば、なかなかありえない選択ですね。

マキタはイギリスであまり値引き販売をやりません。他のメーカーはどんどんプライスダウンをするのですがマキタ製品は高くても売れるのです。

マキタと並んで最近人気なのが、同じくＤＩＹ器具を売るＲＹＯＢＩです。

欧州のＤＩＹ市場や中古住宅の改修マーケット規模は大きく、地元の人々は古い家を購入し、それを自分で改修するとか業者に仕事を依頼するのが当たり前。ここで使う機器の需要が高いのです。

家の改築だけではなく、日本よりはるかに広い庭の草刈りやパティオ（中庭や裏庭）の洗浄などでも大活躍です。ＢＯＳＣＨのような欧州メーカーが展開してきたうえに、保守的な人だらけの欧州マーケットでこれだけ日本のメーカーが大人気なのは誇らしいことです。

ほかに大人気な日本の製品は庭用品です。それもおしゃれ系のガーデニング用品とかそういったものではなく、伝統的な盆栽の剪定用ハサミとかノコギリです。日本の道具は切れ味がよく使い勝手もよいので庭を愛好する人々には大人気です。

さらに盆栽をやっている方や家に日本庭園がある方のなかには、道具を日本のものに統一して本質を極めるために日本から道具一式を取り寄せる方もいます。日本ではそんな人はなかなかいません。ヨーロッパの人々のほうが日本庭園に対する思い入れがいかに強いかということがおわかりでしょう。

それに関連して人気なのが錦鯉（にしきごい）関連のグッズです。錦鯉の餌や池用のグッズがこれまた人気です。日本庭園の錦鯉向けグッズや、日本風の池は独特なので、そういったものが求められているのでしょう。日本庭園に入れ込むような人はある程度お金持ち。文化レベルも高いので中国や韓国製のコピー製品では満足しません。

それに加えて石で灯籠を造ったり池の上に日本式の橋をかけたり池を眺める部屋には畳をひいて障子を置いたりして本格的に追求するのです。

海外のみなさんがわが国の伝統文化に真摯に向き合っているのは非常に喜ばしいこと。ただ一方で日本の人々は中年以上でも若い世代でも、こういったジャンルにほとんど興味がありません。これは誠に残念なことではないでしょうか。

欧米では日本よりうまい豆腐とヤクルトが流通している理由

日本の人々が知らない自国のイメージに、海外では「日本＝健康」というものがあります。ところが実際は現代の日本人は睡眠時間が短くストレスまみれで、日本食とは名ばかりのコンビニのお惣菜とか加工品ばかり。はっきりいって健康とはほど遠いですが、それでも海外での日本のイメージは健康が一番先にくるのが特徴です。

その理由のひとつに「日本食が体に良い」というイメージがあります。アメリカは食事のレベルが相当低く、砂糖や油まみれでファストフードばかり食べる人々が多い。ヨーロッパの場合、美食のイタリアやフランス以外の特に北部は食が不毛の地です。美食エリアでもオリーブオイルやクリームを大量に使ったり肉類が多かったりするので、健康に注意している人にとっては気になることが多いのです。

健康になりたい人々は日本の食事に興味をもつようになります。そうした人々が熱心に買い求めているものが日本の豆腐です。ヨーロッパでそういうものを買う人は健康に関心があって味にうるさい。しかもお金があるので本物でなければ激怒します。

ヨーロッパのスーパーでは豆腐が健康食品の店やスーパーの健康食コーナーにドカンと並んでいますが、その豆腐が日本のスーパーに並んでいるような豆腐ではない。豆乳をこれでもかとたっぷり使って固めまくった硬い豆腐で、沖縄の島豆腐や日本の昭和三〇年代に食していた豆腐にたいへんよく似ています。

さらにこだわる人は地場で豆腐を手作りしている店から買っています。このような豆腐を作っているのは、なんと日本人ではなく現地の人です。豆腐を研究し尽くしている人や日本へ修業に出かけた人なので、こだわりの豆腐が手に入るのです。

おもしろいのは、日本では都内の特殊な店や田舎のほうに行かないと見つからない昔ながらの高品質な豆腐が、そのへんのスーパーで売っていることです。

ちなみに私がローマに住んでいた頃、地元では大谷さんという方が「大谷豆腐」を販売しており、ありがたく買っていた。母がイタリアに来たとき、その豆腐を食べた直後、「こんな懐かしいものにここで出会うと思わなかった」と驚いていました。

豆腐だけではなく本物にこだわるヨーロッパの人々のために、味噌、梅干し、醬油、餅まで日本の本格的な商品がそこらの健康食品の店に何気なく置いてある。それを購入する人がいることにも驚かされます。このような人々がインターネット上では日本食材に関して長々と議論しており、いかに本物に執着しているかがよくわかります。それは日本の顧客よりも恐ろしいお客さまかもしれません。

健康にこだわる人々は日本の優れた食材だけでなく、なんとヤクルトにも手を出しています。ヤクルトは最近イギリスをはじめヨーロッパでも事業展開しており、スーパーにはヤクルトのボトルがずらりと並んでいます。値段はヨーロッパの健康系ヨーグルトドリンクの倍だから驚きです。

ヤクルトはほとんど割引しませんが、買っている人がけっこういる。テレビＣＭは日本のミステリアスなイメージや健康というテーマを前面に出したもので、日本のテレビでは見かけないような心休まる映像が含まれています。ヨーロッパのお客さんたちはそういった心の安らぎというものを日本の商品に求めているのでしょう。

日本のテレビＣＭでは食品名が連呼され、街中ではファストフードや加工食品ばかり頬張っている人々が多い光景を欧州人が見たら驚くことでしょう。実際、ヨーロッパの人々が出張や旅行で日本に来ると、日本の人々の食生活があまり健康的ではないことを発見してビックリします。

たとえばレストランチェーンでは、出てくるのはセントラルキッチンで加工したものばかりです。またコンビニの食べ物には添加物等がかなり含まれています。高い旅費を払って日本まで来るような人は食への意識が高く、健康にも注意をしているのでそのようなものを食べるのを嫌がります。

さらに日本人は野菜の摂取量が少なく、レストランや定食屋さんでは多くのメニューは炭水化物だらけです。健康に注意しているヨーロッパの人々は炭水化物の摂取量に注意をしているので、健康食にこだわっていると想定されている日本人がこんなにたくさんの炭水化物（特に砂糖などの糖質）をとっていることを知り、たいへんなショックを受けます。

海外の人がやたらと歌舞伎町に詳しい理由

欧米の動画配信サイトを観ていると、日本映画といっても日本人にはあまり馴染みのないものが大きな人気を博しています。日本では最近、観る人の少ないヤクザ系映画が欧米では人気ジャンルのひとつとして確立。もはや欧米において日本映画といえば、なんといってもまずは「ヤクザもの」なのです。

次に人気なのが『リング』などに代表されるホラー系。エクストリームなコンテンツを観たければいろんなものを観ようというのが定番になっています。最近の日本で人気の「チョイなごみ系」の映画は海外でまったく人気がありません。

それだけでなく先進国のヤクザ映画ファンは、最近のものでは飽きたらず（二〇年くらい前の北野武監督が製作したものはなんと「最近の作品」と捉えています。その北野映画の源流は一体どこにあるかを追求し）、なんと一九六〇年代の宍戸錠や小林旭の作品を熱心に観ているのです。

なぜか英語圏の動画配信サイトでは、日本ではまったく見当たらない渡哲也や宍戸錠が主演のかなりマニアックな作品が配信されていてけっこうな人気です。

若い人もなぜか「仁義なき戦い」シリーズを観ています。彼らにとっては菅原文太や梅宮辰夫のほうが最近の日本の俳優よりもメジャーかもしれません。また日本のエクストリームなコンテンツに興味のある人々が新宿の歌舞伎町にやたらと詳しいことに驚きます。その理由は、やはりヤクザの本拠地が歌舞伎町であるという前提に加え、ゲームの影響が大きいようです。

先進国ではセガが発売している『龍が如く』が人気で、英語圏ではズバリ『YAKUZA』という名前で発売されています。彼らはこのゲームを通してヤクザ組織の形態や、この業界でメジャーなビジネスなどを学び、歌舞伎町の地理に詳しくなっています。こういうゲームをプレイした人々が、もうちょっと知識を深めようとして日本のヤクザ映画に手を出すのはたいへん論理的ですね。

外からみた日本人のイメージは、日本人が想像するのと少し異なります。超健康志向で禅を愛好し、エクストリームなコンテンツを生み出すうえに、すごくクールなギャングスターがメチャクチャおもしろいゲームを創っている感じなのです。

これはアメリカといえばロックンローラー、イタリアといえばマフィアを想像していた一昔前の日本人に近いものがあります。

実際に日本人に会ってみると、その大半の人々は『龍が如く』に出てくる兄貴たちとか『アウトレイジ』の西田敏行とも相当異なり、かなりユルユルでなんとなく頼りなく、しかも異様に礼儀正しくて律儀な人々なので逆に萌える人々が多いのです。

海外で日本式のお片づけが大人気な理由

コロナ禍の前からアメリカをはじめヨーロッパの北部では、日本に若干遅れて「お片づけブーム」が訪れています。「Netflix」で日本のお片づけの伝道師である近藤麻理恵さん、愛称「こんまり」さんが人気になったことが発端です。今や日本のお片づけは意識高い系の若い人々の間で大人気のコンテンツになっています。

特にアメリカは、大量に購入して大量に消費し、巨大な家に住むのが長年の習慣だったので、物を減らしてすっきりと片づける日本的なお片づけのやり方が斬新なものとして目に映ったのです。

しかも驚くべきことに最近は欧米でも、日本で二〇年くらい前から大人気の布団圧縮袋がすでに一〇〇円ショップでも売っているという状態です。この便利さに海外の人々も目覚めてしまったのです。

それにとどまらず最近では、台所の整理のしきり板、さまざまな吊り下げグッズ、日本の家の象徴でもあったプラスチックの衣装ケースなど、昔はなかったこれらのアイテムがヨーロッパの家にも当然のようにあります。値段もガンガン下がっていて、お手頃になっているのです。

以前は昭和四〇年代の日本のように、紙のケースに入れるとか、そのほかに布製のケースみたいなものもよく使われていました。

ところが無印良品が進出するようになり、こんまりさんがネットで大ブームになったことで、プラスチックの収納用品などが今や日常で見かける普通のものとなってきた。つまり部屋の中が徐々に日本化してきているのです。私がイタリアに住み始めた一五年ほど前には存在しなかったので大きな変化だといえます。

さらに最近流行っているのが、床のカーペットを剥がしフローリングにすることです。これも明らかに日本風のインテリアに大きな影響を受けている印象です。

もちろん北欧風のインテリアの影響もあるのですが、ヨーロッパの北部地域はこれまで「カーペット命」だったことから考えても、フローリング人気はたいへん驚くべきことなのです。

コロナ禍でこういったお片づけグッズやフローリングの人気がさらに高まっており、

室内の衛生を保ちましょうという動きが顕著です。未知の感染症が広がることによって、ライフスタイルや室内のインテリアのあり方までもが変わりつつあります。

これは小さな変化のように思えますが、保守的な欧州北部の人々でさえ生活の仕方を無意識に変えはじめるのは、意外と大きな〝事件〟なのではないでしょうか。

侍や日本刀を日本人よりも大事にしている欧州の人々

日本人が意識していない海外で大人気な日本のコンテンツのひとつに、日本の侍やそれに関連する文化があります。日本で侍にやたらと入れ込んでいるのは高齢者や歴史オタクの人々です。アメリカや欧州北部とは侍ファンの属性がかなり異なります。各国の騎士道など歴史全般に興味がある人でも日本の侍に関心をもっています。

ヨーロッパの場合はミリタリーオタク、略して「ミリオタ」の人々がこの歴史オタクとかぶっており、日本のミリオタの質とはかなり異なります。

ヨーロッパのミリオタは、どちらかというと日本で郷土史などを研究するインテリ系の人たちに近いものがあります。彼ら研究者は産業史や装飾の歴史などにどっぷりはまっています。

それらの人々は自国の軍事や装飾を研究するだけでは飽きたらず、だんだんとマニアックな海外のものに手を伸ばしはじめます。その彼らにとって学びがいがあるのが日本の侍や鎧・甲冑・刀といったコレクター性が高いものです。

彼らが日本の侍の甲冑や刀にはまってしまうのには大きな理由があります。装飾として優れており技術が高いからです。クラフトマンシップが発揮されているので伝統技術が大好きなヨーロッパの人々にとってはたいへん魅力的なのです。刀に関してもヨーロッパのものとは装飾や作り方が異なり、その技術の高さに感心してコレクターになってしまう方が少なからずいます。

武器はその土地の精神性や文化が色濃く反映されるものなので、自分の土地とはまったく違う感覚や精神性を感じさせられる日本刀は大いに勉強のしがいがあります。またコレクションとして目で見ていても、けっこう楽しいものなのです。

残念ながら現在の日本では、そのような素晴らしい日本の文化に対して目を向ける人があまりいません。ヨーロッパの人々が日本に出かけると、美術館や博物館での甲冑や日本刀の扱いが小さいことにビックリする。また展覧会というと、なぜかヨーロッパのものばかりが展示されていることに驚きを感じてしまいます。

移民がイギリスに新しい食文化をもたらした

日本では、最近ロンドンで「ＣｏＣｏ壱番屋」が海外支店を開設したことが話題になりました。本場のカレーを出すインド人が大量にいるロンドンで、なぜ日本のカレー屋が話題になるのか不思議に感じる方がいるかもしれません。

カレーはイギリス人にとってはもはや国民食。毎日食べる人もいればお酒を飲んだ後は必ずインド系のカレー屋に出向いてカレーを食べる人もいるほどです。

おもしろいことに海を越えて欧州大陸のほうに行くとまったく異なります。フランスやイタリアやドイツに出かけると、町中にイギリスのようなインドやパキスタン系の移民がやっているカレー屋はぐんと少なくなる。むしろ探すのが大変なほどです。

イタリアでやっとインドカレーの店を探し当てたと思っても、なんと米がイタリア化されたリゾットのようになっているとか、かなりマイルドになっています。

イギリスで食べるインドカレーやバングラデシュのカレーとは似ても似つかない偽物であることがよくあります。スペイン、ポルトガル、ギリシャに向かうと、カレーの店は壊滅的な状況で探すのがさらに困難となります。

スーパーに出かけてもイギリスのようにスパイスがたくさん売っているわけではない。イギリスではそのへんのスーパーで、二〇キロ単位で売っているのが当たり前のバスマティ米や、インド料理に欠かせないオクラやコリアンダーが手に入りません。さらにカナダやアメリカに行くとカレーの不毛地帯であることを実感します。

ちょっと郊外や田舎のほうにはインド系やパキスタン系の店はほとんどないし運よくカレーの店を見つけても、これがアメリカ風やカナダ風に変化。砂糖を放り込んだ何か別のものになっている。イギリスに存在するような本格的なものがまったく見当たらないのです。イギリス人が海外で求めるものがスコーンとかフィッシュアンドチップスではなくて本格カレーなのは実におもしろいではありませんか。

なぜイギリス人がこんなにも本格カレーに思い入れがあり、欧州大陸やアメリカにはそれほどないのでしょうか。それは各国の移民の歴史に大きな関係があります。

七つの海を制覇する帝国だったイギリスには、植民地時代が終焉するとインドやパキスタン、バングラデシュ、それに印僑が住んでいたアフリカ各国や東南アジアから大勢の人々が移住してきました。紛争で仕事がなくなったのでやってきた人や現地の資産家で資産を保全するためにやってきた人もいて、その階層や背景はさまざまです。

彼らは移住すると同時に新しい食文化をイギリスにもたらしました。人口が増加し食材を買う人も増えてくるわけで、スーパーやそのへんの店舗では南アジアの人々が食べるものを大量に売るようになります。

それと並行し、それまでフライドポテトにインスタントのカレーソースをかけるぐらいだったイギリスの一般の人々も、街中にどっと増えたインド料理の店や持ち帰りの店のカレーを食べるようになる。戦前にもインド料理の店はあったのですが、当時のイギリスは外食をできる人がかなり限られており、外国の料理を食べたことがある人は比較的お金がある人に限られていました。

インドのカレーに飽きて日本のカレーがイギリスを席巻

イギリス人が現在のように頻繁に外食をするようになったのは一九七〇年代に入ってからです。ちょうどその頃、急激に増えたカレー屋にイギリス人も馴染んでいきました。そうはいっても、インドカレーとの付き合いが何十年も経てば飽きてきます。

そこで二〇〇〇年頃からイギリスで知られるようになってきたのが日本のカレーです。その火付け役のひとつはイギリス全土に支店がある「wagamama」というレストラン。この店は日本食を出していますが、経営者もシェフもイギリス人や他の国の人々です。そのせいか日本人にとってはギョッとするようなメニューが多い。それでも現地の人々は一皿二五〇〇円ほどする日本風カレーや、生煮えの日本蕎麦(そば)や生ぬるいチキンスープに浸かったラーメンに三〇〇〇円近いお金を払う。ワインを片手に、それを食べるのがオシャレなカップルのデートなのです。

そのような日本食もどきと呼んでもいいようなものをイギリス全土どころか他の国にも広めた「wagamama」の功績は大きいです。「wagamama」のような店が日本風のカレーを出すことで、イギリス人は日本風のカレーがあることを認識したのです。

それはインドやパキスタンのカレーよりもはるかに油が少なく、グレービーソースやシチューのようなとろみがある。それでいて、適度にスパイシーでコクと旨味があり、キューブ状になったカレールーさえ溶かせばカレーソースができる便利さも手伝ってイギリス人はすっかり虜になってしまったのです。

それまでイギリスに存在していたインスタントのカレーは、ガラスの瓶にインド式のカレーソースが入ったもので、なぜかレトルトタイプさえなくて不便でした。もっとも小さいものでも五〇〇グラム入りですごく重い。あくまでもソースなので肉やら野菜を煮込んでおかなければなりません。また濃縮されているものにはクリームが必要です。

その点、日本のカレールーだと一皿分の少量をお湯で溶けば食べられて、何を加えてもそれなりの味になります。一方、イギリスのものは肉や野菜を煮込んで入れることが前提なので味が薄めで旨味がいまいちです。

そして東日本大震災の前後にイギリスの料理番組では、シェフが日本を訪問し現地の食を紹介しつつ料理する番組が徐々に増えてきました。このようにイギリスでは毎年料理のトレンドが変わります。少し前はタイなど東南アジアの料理が人気でした。

やがてギリシャ料理やイタリア料理のブームが続くようになります。ところがテレビのグルメ番組も同じものばかりではネタ切れしてきます。そこで次にシェフたちが目をつけたのが日本のB級グルメでした。

それまでのテレビで紹介される日本食は寿司とか料亭の食事など高価なものばかり。「wagamama」が人気になったことで、日本にもフィッシュアンドチップスに近いようなB級グルメがあり、それがけっこう美味だと知られるようになったのです。

カツがないカツカレーがなぜカツカレーとなったか

そこで紹介された日本食の中に「カツカレー」がありました。これはイギリスにとって大ヒットメニューとなります。イギリス人は揚げ物が大好きで普段から毎日のように何か揚げたものを食べています。フライドポテトはほぼ主食といってもいいでしょう。イギリスではこれを「チップス」と呼びます。

チップスはアメリカやフランスのフライドポテトとはまったく別物であり、地元産のじゃがいもの太めに切ったものを油で揚げてあるものです。

その次に彼らがよく食べているのは「フィッシュフィンガー」と呼ばれる冷凍の白身魚のフライです。簡単な食べ物ですが、食卓に上ると子どもも大人も大喜びです。

スカンピというエビに衣をかぶせて丸く揚げたものも人気です。イギリスの食事ではこうして揚げものをメインとして盛り付け、その横に付け合わせの野菜やグリンピースなどを添えて食べます。多くの家ではこのフライも野菜も冷凍食品です。

会社の飲み会などでつまみとして出てくるのは、ワンタンの皮の中に何か入れて揚げたものなど、とにかく揚げ物だらけ。これらを「パーティープラッター」と呼びます。それにケチャップやタルタルソースをたっぷりとかけて食べるのです。

そのほかにイギリス人はカレーを週に何回も食べている。このほぼ主食と呼んでいいような揚げ物とカレーが一緒になっている魅力的な食べ物こそ「日本のカツカレー」でした。これを拒否できるイギリス人はいません。子どもも大人も大喜びです。

ここで重要なねじれが発生します。

イギリスは多民族国家なので国民の中にはイスラム教徒やユダヤ教徒もおり、インド人やパキスタン人、バングラデシュ人もいる。宗教上の理由で豚肉を食べない人が多いので豚カツはチキンカツに入れ替わります。さらに左翼系の人々はベジタリアンが多く肉を食べません。

このような人々からクレームが来ないようにするのにはどうするか――。

カツカレーから豚カツもチキンカツも排除してしまえばいい。最初から抜いておけば誰からも文句が来ないし、カツをのせないことでコストダウンも図られるのでカツカレーに関連する会社にとってはいいことしかありません。

カツカレーのブームに便乗して日本式のカレーソースを販売する食品会社や店が次々と出てきました。それらの会社では日本風のカレーソースだけを「カツカレー」と呼んで販売し、さらにその日本風のカレー風味のポテチやスナックも「カツカレー風味」として売り出すようになります。

そのため、欧州から日本ファンの人々が日本に来てカツカレーを頼むと、きちんとトンカツがのっているのでドン引きする事態が発生してしまうのです。

第5章 世界の「同調圧力」を日本人は何も知らない

フランスは「同調圧力」がものすごい

日本人で出羽守(でわのかみ)といわれる方のなかには「フランスは日本より自由！　みんな好きな服を着て好きなメイクをし、同調圧力がなくて自由なの。さすが大人の国ね！」と言い張る方がいます。そのような方はおしなべてヨーロッパへの滞在時間が短く、さらに普段は日本人としか付き合っていないのかもしれません。

フランス人は他人の見た目に対しておそろしく同調圧力が強く、特に女性に対しては日本以上に要求が厳しいです。フランスでは女性は肌を見せるのが当たり前で、見せない人はおかしいと思われる文化があります。それが若い人だけではなく、ある程度年齢がいった人でも同じです。

日本なら中年や熟年の女性が胸の開いたシャツを着ているとギョッとします。水着も胸を強調したり、お尻のカットが深かったりすると、日本ではとても着られません。そのすべてを着るのがフランス人です。

なぜフランス人女性は肌を出すのが当たり前なのか——。

それは一九六〇年代に盛んだった「古いフェミニズム運動」の名残なのです。当時のヨーロッパではフランスだけではなく、ほかの国でも女性の解放運動が盛んでした。

それまでは肌の露出が控えめでスカート丈も長く、ふんわりとしたブラウスやワンピースがファッションの主流でした。性の解放の流れを受けて体の線を出す、短いスカート丈、これらが「女性が自主的に自分の個性を主張する権利」の象徴となったのです。

その流れを受けてイタリアやスペインでもフランスと同様に肌を露出するファッションが自由のシンボルとなります。トップレスが流行ったのもそのトレンドに沿ったもので、肌の露出を避ける人は「自由を否定している」とみられてしまうのです。

そのため、フランスではイスラム教女性が公的な場でニカブやヒジャブといった顔や髪の毛を隠す被り物をすることを禁止し、プールでも全身を覆うイスラム教の女性用水着やウェットスーツのような感じのブルキニを禁止する自治体もあります。

とはいえ、このような流れは今の若い人の間では下火です。彼女らは自然なフェミニズムを好み露出系のファッションよりもゆったりした服やボーイッシュな服、スポーツウェア系が人気でトップレスも減っています。

このように若い人の意識が変わる一方、オフィスや公の場では女性は常にセクシーでなければならない、という意識が根強く残っているのです。

フランスでは人の目を気にしすぎて精神的な疲労がスゴイ

フランスの職場ではきれいな格好をしていないと周囲から白い目で見られ、髪型や服装にはかなり気を遣っていて日本よりもはるかにたいへんです。フランス人自身もこれはけっこうつらいようで、私が職場で親しくしていたボルドー出身の中年女性はこう嘆いていました。

「フランスではいつもきれいな格好しなくちゃならないでしょ。だから洋服代がバカにならないのよ。アメリカ人やイギリス人だらけだと本当に楽でいいわ。みんな酷(ひど)い格好だから美しくはないけど、私も気楽だしお金がかからないもの」

日本のフランス系企業でもこれは変わりません。以下は私の知人で長年フランス系の会社に勤務していた方の意見です。

「あなたね、フランスの会社はたいへんなのよ。こういうタイトスカートをはいてないといろいろ言われちゃうし。靴とか時計も細かく見てくるし、服がどうだってボスに言われるのよね。ホントに面倒くさいわ。あまりにもうるさすぎるから、あたし英米系の会社に転職したの」

英米系の会社で特にＩＴ系や在宅勤務が多いところでは、オフィスでもポロシャツやユニクロ系のカジュアル、時にはジーンズが当たり前だったりするので自国とは違いすぎです。

フランス人は自分だけではなく他人の服や髪型、スタイルから歩き方まで気になるらしく、ほかのフランス人と雑談していても延々と他人の観察について話しています。

「あの人、歩き方がおかしいわ」
「机のインテリアが酷い」
「話し方にエレガントさがない」
「彼、髪型を変えたわね。素敵！」

「あれゴルチエの新しいのよね」

といった具合です。

机の上を美しく保つことや、オフィスの装飾にもかなり気を遣います。テレビに登場するフランスのオフィスが美しかったり、フランスの家屋の内装や庭がキレイだったりするのも他人の目を気にしているからです。

その点、日本は他人に興味がありながら見た目や家の内・外にはあまりこだわらない人が多いですね。フランスの感覚では「えっ!?」と叫びたくなるような雑然とした部屋や、庭や玄関、服装の人がいるので、日本は意外と他人の目を気にしない国なのかもしれません。

欧州では専業主婦でいることは恥ずかしい

フランスの同調圧力は性の解放やファッションだけではなく、なんとライフスタイル

郵便はがき

お手数ですが
切手を
お貼りください

150-8482

東京都渋谷区恵比寿4-4-9
えびす大黑ビル
ワニブックス書籍編集部

お買い求めいただいた本のタイトル

本書をお買い上げいただきまして、誠にありがとうございます。
本アンケートにお答えいただけたら幸いです。
ご返信いただいた方の中から、
抽選で毎月5名様に図書カード（500円分）をプレゼントします。

ご住所　〒 TEL（　　-　　-　　）	
（ふりがな） お名前	年齢 歳
ご職業	性別 男・女・無回答
いただいたご感想を、新聞広告などに匿名で使用してもよろしいですか？　（はい・いいえ）	

※ご記入いただいた「個人情報」は、許可なく他の目的で使用することはありません。
※いただいたご感想は、一部内容を改変させていただく可能性があります。

●この本をどこでお知りになりましたか?(複数回答可)

1. 書店で実物を見て　　2. 知人にすすめられて
3. SNSで(Twitter:　　Instagram:　　その他　　)
4. テレビで観た(番組名:　　)
5. 新聞広告(　　新聞)　　6. その他(　　)

●購入された動機は何ですか?(複数回答可)

1. 著者にひかれた　　2. タイトルにひかれた
3. テーマに興味をもった　　4. 装丁・デザインにひかれた
5. その他(　　)

●この本で特に良かったページはありますか?

[　　]

●最近気になる人や話題はありますか?

[　　]

●この本についてのご意見・ご感想をお書きください。

[　　]

以上となります。ご協力ありがとうございました。

にも及びます。たとえば、その代表的なことのひとつが、専業主婦に対してかなりネガティブな印象を抱くことです。

日本では「ヨーロッパは日本よりも進んでいるので共働きの夫婦が多く、働く女性の権利が保障されている」と言い張る人がいます。これには逆の側面があります。

フランスをはじめとした欧州西側では先ほど申し上げたように、一九六〇年代に女性解放運動が起こった影響もあってか、女性も男性と同じように働くべきだという同調圧力が強いのです。

もちろん経済的な理由で共働きでないと生活が成り立たない家庭も少なくない。そうではなく、男性側がかなり稼ぐ家であっても女性は「専業主婦です」とは言いにくい雰囲気があります。

専業主婦であっても「私はこのような非営利団体で活発に動いています」とか、何か社会貢献活動をしているというようなことを主張しないと、「何もやっていない無能な人」という烙印（らくいん）を押されてしまいます。

特にフランスの場合は意外にも、女性が料理や裁縫や掃除などに熱心なことを強調するのはむしろネガティブなイメージでとらえられることが多い。そんなことには時間をかけないで社会参加型の活動をするべきだという同調圧力があるのです。

だから富裕層であっても家事や育児などは積極的に外注し、地域の非営利団体やチャリティー団体の活動などに熱心な人が多いのです。日本人女性が現地の男性と結婚して、経済的にあまり困っていないので専業主婦をやっていると、周囲の人々から、なぜ働かないのかとしつこく聞かれることになるでしょう。

健康にもまったく問題がないのに「何もしない人」とみられ、親戚筋や近所の人から怪訝(けげん)な視線を注がれるのも深刻な問題です。しかも外国人には、地元の社会へ積極的に参加して貢献するべきだという考え方があります。

専業主婦で家に閉じこもっているのは、低賃金の移民や現地に馴染もうとしない閉鎖的な外国人というイメージがあるからです。よって日本人でフランス人と結婚しブログで毎日のように料理や掃除の記事をアップしているような人は、現地の感覚だと単なる無職で社会貢献をしない無能な人となる。

こういった傾向はフランスだけではなくイギリスでも似たような感覚です。さらに北上した北欧諸国ではもっと同調圧力が強くなります。

北欧諸国をはじめ欧州北部は税金が高いので、働ける人は社会貢献しつつ労働するべきだとの意識が強いです。体調にもまったく問題なく、それなりの教育を受けている女性が家にいて一日中料理をしたりテレビを観たりして過ごしているのが許されない。日本に比べると女性のライフスタイルの選択に柔軟性がないといえるでしょう。

女性がかなり稼ぐことができて社会的にそれなりの地位を得られるヨーロッパでは、そうしようとしない女性がかえって差別される状況になっています。日本では専業主婦の女性や、週に数時間しか働かない低賃金のパートタイムとして仕事をやっている人がかなり多いです。そういった人々がヨーロッパの環境にさらされた場合、仕事をするようにという圧力の強さにおそらく耐えることができないでしょう。

なぜコスプレがヨーロッパで人気なのか

ヨーロッパで人気があるのが日本のコスプレ文化です。なぜ彼女らはコスプレをこんなに好み愛するのか――。

それはフランスをはじめイタリアやスペイン、ドイツなど欧州大陸諸国の同調圧力の強さと見た目に関する縛りの強さが背景にあります。「こういう階層の人でこういう年齢であればこういった服を着なさい」という圧力が強いのです。

ビジネスの場や公の場で、服装のＴＰＯは日本よりもかなり細かく決まっています。それなりのレストランへ行く場合は日本よりもきちっとした服を着ていかなければならない。またオフィスでのドレスコードも日本よりもはるかに厳しいです。

特にドイツの会社は厳格で、私の知人のドイツ人女性は「ドイツで働いていたときはスカートの丈から靴のデザインまで細かくチェックされてすごく嫌だったわ」と愚痴をこぼしていました。彼女はあまりに細かすぎるドイツの職場が嫌になり、イギリスの会社に転職したのです。

イギリスの場合は欧州大陸よりも若干ゆるめですが、それでも公の場やビジネスの場でのドレスコードは日本よりも厳しいです。女性のメイクも日本より抑え気味で、ダークカラー中心で男性っぽいスーツを着ることが多くなっています。

ドレスコードだけでなく、オフィスにおけるデスクでの装飾も日本よりはるかに保守的です。ちなみにフィギュアなどを飾ることは許されません。

イギリスで公共の場所や屋外でも、その場から浮くような服を着ることは容易ではありません。ちょっと変わった服を着ていると不審者と思われて警察から職務質問されることもめずらしくない。これはヨーロッパが日本よりもはるかにテロが多い現実を反映しています。

こういう環境にいると若い人は息が詰まります。コスプレはその王道的な習慣やドレスコードがまったく適用されないことから、彼らにとって精神的に解放されることにつながるのです。日本ではコスプレが大衆化して一般的なものになっているので、今時コスプレで驚く人はあまりいませんが、ヨーロッパではまだまだ驚かれる行動になっています。

イギリスの仁義なき階級マウンティング！

みなさんが想像するイギリスは「紳士と淑女で落ち着いていて常に控えめな国民性」

というイメージではないでしょうか。

ところが、ここ最近のイギリス人の実態は大違いです。驚くべきことにイギリス、特に都会では「新興の成金層」が威張っています。彼らの正体とは、前作でもご紹介したイギリスを支配するヤンキー層に近い。これらの人々にお金があるとすごく厄介です。以下に、新興の成金層の特徴をあげておきましょう。

もともとそこに住んでいるイギリス人は、スコットランド人やアイルランド人、ウェールズ人など大英帝国を構成する各地の人々だけではありません。

欧州大陸からやってきた人々、アメリカ人、オーストラリア人、インドやパキスタン、バングラデシュなど南アジアの旧植民地、ドバイやシリア、サウジアラビアなどの中東、キルギス、カザフスタン、ウズベキスタン、アフガニスタン、トルコなどの中央アジア、ロシアやハンガリー、リトアニアなど旧共産圏……等々。

切りがないのでこの辺で省略します。

ようするにイギリスには全世界から人間が集まっているのです。新興の成金層のスタイルやマウンティングのポイントは、出身地域によって微妙に異なっています。それに各自の出身地の成金的な要素が混ざり合って、新興の成金層は確立。そして世界各国の成金同士が日々、熾烈（しれつ）な〝異種格闘技戦〟をやっている状態です。

ここ二〇年から三〇年ほどの間に、イギリスには世界各国から情報通信革命や経済改革、共産主義の崩壊などで富を手にしてしまった人々が集まってきました。

それはなぜかというと、商売がやりやすく資産保全を容易にしやすいからです。全世界からいわゆる勝ち組の人々が集まってきているので、品格うんぬんよりも、とにかくお金持ちが偉いという価値観が全体を支配しているのです。

イギリスにやってきた彼らの子どもが通う学校でも、マウンティングの火花は大きく炸裂します。学校には商売仲間や親戚とは異なり、まったく違う属性の人々が集います。そして他の保護者に対し「自分はどれほどスゴイか」という凄まじいマウンティングをしてしまうのです。

なんといっても彼らは、外国に住んでいるという負い目があります。支配層である白人のイングランド人ではないので「地元民にバカにされてなるものか」という根性が、こうしたマウンティングの背景にあるのでしょう。

彼らがまずマウンティングの中心とするものが装飾品です。なぜか新興成金の人々に共通するのは、日本で二〇年から三〇年前に流行っていたブランド品が大好きなこと。かつて安室奈美恵さんがＳＡＭさんとともに身につけていたカルティエのラブブレスレットを着けている人がドヤ顔で子どもの送り迎えをする。

腕には光り輝く金色の巨大なロレックス。鞄は同じく日本で三〇年ほど前に流行っていたグッチのロゴが入りまくった昔懐かしいバッグやシャネルの高級バッグ。日本では中古ブランド品店か質屋でしか見かけることがないでしょう。

服はヒョウ柄やゴールドが全身にあしらわれた36万円のスウェット。サングラスはなぜか判で押したようにトップガンスタイルで、アメリカ大統領のバイデンさんが愛用している例のティアドロップ型です。日本ではほとんど見かけることがなくなってしまいましたが、イギリスの成金層の間では今あれが大人気です。

イギリス人成金の果てしなきマウンティングごっこ

そして極めつけがマイカーです。彼らはとにかく大きな車が大好き。大きいというだけで他人を圧倒できるので、とにかく大きさを誇示するのは必須中の必須です。

主にランドローバーやポルシェのＳＵＶ（スポーツユーティリティビークル）を愛用していますが、イギリスが異常に古い国で道が狭く、駐車場や路上で上手に運転できなくて困っている姿をよく見かけます。

さらに、ここ一〇年間で急激に豊かになった彼らがイギリスに来てから運転を始めたためか、あちこちで車をこすりまくって常に傷だらけです。

ナンバープレートは陸運局に申請してカスタマイズしたもので、なぜか自分の名前や家族の名前を入れ、周りをデコレーションしてキラキラ光るようにしてあります。

交通違反をしたら一発でバレるだろうという気がするのですが、それでも彼らはナンバープレートのカスタム化をやめません。日本ではバブルの最盛期に似たようなデコレーションが流行っていた気がします。

このようなオリジナルのマイカーを家の前に三台も四台も並べるのがオシャレとされています。こういった車はアフリカやロシアで高く売れるので頻繁に盗まれます。高級車なので車上荒らしにも一年中狙われ、年がら年中ドアが破壊されている。

ところが彼らは車を見せびらかすため家の前に置くので車庫に入れる気がありません。多大なるセキュリティリスクがあるのに、こういう車種を選ぶのですね。身の安全よりもマウンティングのほうが優先なのです。

イギリス人のマウンティングポイントに「休暇中の行き先」があります。たとえば動物園に関する会話です。

「このまえロンドン動物園に行ったのよ。とてもよかったわ」

「ウチは先日の春休みにも動物園に出かけたのよ。子ども四人全員連れてって、おじいちゃんとおばあちゃんも一緒だったの」

「あーそうなんだ。ウチは子どもが生後三カ月のときに出かけたわ。でも、そのあとにサファァリパークに行ったのよね。サファァリパークはプライベートのガイドをつけるサービスがあって、あれをやるとキリンが近くまで来てすごくいいのよ」

「でもサファリパークはやっぱりイマイチよね。ウチはケニアに親戚がいるからケニアのサファリまで子ども全員連れていったんだけど、とにかく野生の動物が多いでしょ。だから子どもたちが飽きちゃったわ」

「そうなんだ。うちの子どもはサファリよりどちらかって言うと、もっとエキゾチックな動物が好きなのよね。だから去年は家族全員でガラパゴス諸島に行ってきたの。今、ちょうど理科の授業で食物連鎖とか草食動物と肉食動物の違いは何か、勉強しているでしょ。だからクラスの中でのプレゼンテーションにも旅行に出かけたときの写真を使うことができて助かったわ。ガラパゴス諸島はホントにいいわよ」


このようにイギリスの成金の親たちが奏でる「仁義なきマウンティング合戦」は止むことがありません。こうした彼ら彼女らのマウンティングに対して、天誅を喰らわす強烈なコンテンツがあります。それは日本に関するもので、たとえば先の会話のときに誰かがこう言ったとしましょう。

「この前の休みに日本の親戚に会いに行ったのよ。日本ではポケモンセンターに出かけ、ゴジラが出てくる場所を何カ所かまわって寺で瞑想をしたの。それから田舎に足を延ばして田植えをやって日本アルプスを歩いてきたの。歴史の勉強も踏まえて伊賀の里では忍者修行もしたのよ。それから箱根でボルケーノを見て、温泉にも浸かって。温泉には黒い卵があっておいしかったわ」

言葉のハードルがあり、日本に出かけたくても、それができないイギリス人は多いのです。文化的な深みがあり、いろいろな活動を短期間で集中して実行でき、全世界の若い人が注目している漫画やアニメの源流が日本には大量にあります。

お金がいくらあっても買えない体験やコンテンツが山のようにある。忍者という単語を出すだけで大半の人は「もう勝てません」という感じになることからも、日本のコンテンツがいかに強力かがわかるでしょう。

第6章　世界の「ヤバすぎる国民性」を日本人は何も知らない

イタリア人は〝喪男〟だらけ!?

日本人がイタリア人に対して思い浮かべることのひとつに、イタリア人男性はやたらと女好きで、かつレディーファーストでナンパが大好きというものがあります。

たとえばイタリアの街中で歩いていれば「君は太陽のように美しい！」とか「私の輝く宝石だ！」など、日本人だとドン引きするような甘い言葉をかけてくるような男性が山のようにいる。このような特徴があり、イタリア人は一年中恋愛をやっているようなイメージをお持ちの方が多いのではないでしょうか。

ところが実際にイタリアに住むと、大半のイタリア人男性は自分の母親とかすでに存在している彼女のフォローアップや近所付き合い、友だち付き合いが多忙で、見ず知らずの女性をいちいちナンパしている暇はないことに気がつきます。さらに女性が道を歩いていてもそれほど声をかけません。

これは私がイタリアに住んでいた際のこと。私があまり美しくなく肥満度が高く見える怪しいメタルTシャツを着用していたからというわけではありません。周囲のほかの日本人女性、さらにはアメリカ人、イギリス人、ブラジル人、スペイン人、フランス人などの女性に対してもほとんど接し方に変わりはないのです。

陽気なイメージのイタリア人ですが、このように普段は日本人とそれほど変わらない。日々上司のわがままや愚痴に耐え、次の雇用契約の更新がどうなるかを心配しています。年老いていく親の心配をし、村祭りの次の当番をどうするかということばかりを考えていて、あまり恋愛至上主義ではないのです。

さらに意外なのは、イタリア人男性といえども誰もが〝超キメキメ〟のファッションというわけではないということ。大半の男性は肉付きがよく、服装もユニクロで売っているような商品をすごく野暮ったくしたものや、しまむらで販売しているセールで五〇〇円のTシャツや三五〇〇円程度のジャンパーの劣化版みたいな服を着ています。

有名なサッカー選手のようにアルマーニを着ている人はほとんどいません。どちらかというと、地方のリサイクルショップを利用している人と混ざっても、なんら違和感もないような人ばかり。オタク系の人も多く、女性とどう接していいかよくわからないので独身のまま高齢を迎えてしまっている人が相当数いるのです。

この「世界のニュースを日本人は何も知らない」シリーズの第二弾でもご紹介したように、イタリア人男性が〝子ども部屋おじさん〟になってしまう理由は十分な収入がないからです。

イタリアにはなかなか満足な仕事がなく、正社員のポジションもすごく少ない。親の家を出てからは賃貸物件を借りたり、マンションや家を購入したりするのに苦労しているのです。

特に非正規雇用の人が目立ちます。手取り額が月一五万円以下で正社員でも二〇万円や二五万円という人もめずらしくない。その割に税金や光熱費は高いので大変です。

そのためオシャレな服を買う余裕もなく、そのへんの青空市場で謎めいた中国人が売っている、これまた謎のチェックシャツとか、一回洗うと伸びてしまう安物のTシャツ、ウエストのゴムが緩みきっているズボンを買う人が圧倒的多数なのです。

ちょっと外食をすれば一回に五〇〇〇円ほどかかるので、毎月何回も外食できるわけではない。贅沢ができないので、ランチといってもマクドナルドやバールのパニーノと呼ばれるサンドイッチを一個買って、あとはちょっとコーヒーを飲むくらいです。

なぜ日本人女性がイタリアでやたらとナンパされるのか

イタリアなどヨーロッパに滞在する日本人女性は「イタリア人男性はやたらとナンパしてくる」さらには「女性に対して素敵なことを言うので日本人男性は見習うべき」と言うことが多いです。

先日「Twitter」でこんな投稿をみかけました。イギリスで語学スクールに通いながらバイトしたい人が抽選で滞在許可が下りる「ワーキングホリデー」で、三〇歳ぐらいのアルバイト女性がイタリア人男性から食事に誘われ、こう言われたそうです。

「イタリアでは男性がすべての費用を持つのが当たり前なんだ。これは習慣なんだよ」

感動した彼女は、「日本人男性はそんなことをしないので、もっとイタリア人を見習ってエレガントになるべきだ」と「Twitter」に書いていました。

私はこの発言にすこし違和感を覚えました。この男性のように、たいして仲よくない女性に食事を奢ったりデートの費用を出したりするのは、イタリアであってもめずらしいことで習慣でもなんでもないからです。

ロンドンはイタリアよりも物価が高いので、中心部で大人ひとりがそれなりの食事をすれば五〇〇〇円から六〇〇〇円ほどかかります。食事のほかに展覧会など観覧すると二人分で合計三万円くらいはかかるでしょう。

それを手取り一四〜一五万円の人が出せるわけがないので、はっきり言ってこれは特殊な例です。そこまでのお金をワーキングホリデーでフラフラしているよくわからない女性に出すのは、「あなたに食事以上の行為を要求するつもりですよ」＝「性的関係までしたいからよろしくね」という意思確認なのです。

海外にいる日本人女性は似たような事例に遭遇することが多いようです。それをTwitterやブログで延々と書いて、日本人男性は奢らないし、ナンパもしてこないのでけしからんと批判するのは先の女性だけではありません。

なぜ彼女たちがそんな頻繁にイタリア人や、どちらかというとドケチな国民性の男性たちに奢られるのでしょうか。それは彼女たちの大半は仕事で現地にいるわけでもなく、修士号や博士号など正規の学位取得のために毎日せっせと勉強しているわけでもない。ワーキングホリデーとか語学習得のために滞在しているだけだからです。

仕事で来ている人や学位取得留学の人の場合は、その後の生活もかかっているし遊んでいる暇がない。留学の場合は課題が凄まじく繁華街をフラフラ歩く暇すらない。週末も半分泣きながら専門書や課題と格闘です。修士号となると一週間で五〇〇ページ読んでこい、などというおそろしい課題が待ち受けているのです。

仕事でイタリアに滞在する女性の場合は街をフラフラする暇もなくオシャレをする気力もない。表情も暗いのでナンパする男性が近寄ってこないのです。現在はコロナ禍のせいで以前のように気楽に出歩くわけにもいかず、ナンパを目的とした男性に出会う機会も減ってしまいましたが……。

日本人女性は箱入り娘が多く世間知らずなので簡単にこういう男性たちの餌食になる。押しにも弱く、声をかけてくる男性を拒絶するわけでもありません。中国や韓国の女性だと「うるさい！」と力強く拒絶する。だから怖くない日本人女性に声をかけやすい。よって各国のナンパ師が日本人女性に集中して声をかけてくるのです。

さらに日本人女性が「〇〇国の男性は女性に積極的でやたらとナンパしてくる」「〇〇国の男性はすぐに奢ってくれる」という思い込みや体験を書籍や雑誌、ネットに発表し、その国の男性のイメージをアップする。そうはいっても日本人女性側が、自分がいかにもてるかを印象づけたいので、少し大げさなところも多いのです。

イタリア人、実は案外ケチ

日本人のイタリア人へのイメージを裏切る意外な事実として、ほかにもイタリア人は財布のひもが固い人が多いというのがあります。これまでの「世界のニュース」シリーズでもドイツ人とオランダ人がドケチなのをご紹介し、各方面から多大な反響がありました。

今回はスタイリッシュでオシャレな印象があるイタリア人にも、実は負けず劣らずドケチが多いことをお伝えします。なぜイタリア人にドケチが多いのでしょうか。

答えは簡単！　お金がないからです。

ドイツ人のドケチ道は国民性で、遺伝子に刻まれているかのような印象を受けます。

一方イタリア人の場合、自分のイメージを気にするあまり、身内や友だちには大盤振る舞いしてしまう人もいます。そうはいっても、とにかく仕事がない！　お金がない！ということで徹底して節約する人がかなり多いのです。

イタリアは戦後のごく一時期に景気が良かったころを除いて、経済的に厳しい状況が続きました。階級間格差も凄まじいため貧乏だった時期が長いのです。二〇〇〇年以降の情報革命や金融市場の景気の良さとも縁遠い人が多く、正社員雇用はどんどん減って非正規社員だらけなのです。

中小企業もコロナ禍で経営が厳しく、どん詰まりな状態です。お金が入ってこないので家族や親戚で身を寄せあって住み、大鍋でパスタや煮込みものをドカンと作って大人数で分けて食べるなどして節約しています。

日本人に比べると外食の頻度は少なく使う金額も小さい。その割に光熱費が高いので冬は暖房費を節約するため分厚いセーターを着用。職場も光熱費を削減するのですごく寒いです。そんな状況下、どこの街でも大盛況なのが市場です。

日本の地方でもよく見かける青空市場の造りで、商品の値段を値切ってもらうのが馴染みの光景です。B級品の野菜や果物を買って節約する堅実なイタリア人の姿を目にします。イタリアの市場は品質を追わず、とにかく安いから利用するのです。

日本のテレビや雑誌に登場するイタリア人は上流または中流階級の人です。先祖代々の資産があって親や親戚のコネで大企業の正社員の職に就けた人とか公務員であるとか、親から受け継いだ工場やレストランを経営しているような人々です。

イタリア人女性と結婚した日本人が、その優雅な暮らしをブログや雑誌で紹介していることがあります。その場合の配偶者は恵まれた環境にいる人々です。それを知らずにコネも資産もないイタリア人と結婚した日本人は、現地になかなか良い仕事がなく、経済的に困窮している人も少なくありません。そういう人々は生活の実態をメディアで公開しないので目立たないだけです。

実は富裕層が多いドイツ人

イタリア人以上にケチなのがドイツ人です（くわしくは後述します）。また、ドイツは日本以上に経済格差が激しい国で、富裕層もかなりいるのを知っている日本人は少ないのではないでしょうか。

ドイツに出かけた日本人は、インフラや街がきれいで整っていることに驚かされます。なぜドイツ国内の環境は整備されているのかというと、ヨーロッパの中ではかなり豊かな国だからです。

ヨーロッパの多くの国々はインフラが脆弱(ぜいじゃく)でひとつのものを長く使用し、公園や道路もみすぼらしい。これは古いものを大事にしているというより、お金がないから改修できないのです。逆に空港も道路もきれいなところがドイツには多く、図書館や大学などほかの国よりはるかに整備されています。このことからもドイツがヨーロッパでもっとも豊かな国であるという統計結果に納得できます。

細かい部分に目を向けるとそれがわかります。たとえば新聞の日曜版の広告欄には、高価なワインのラックや旅行の広告がずらりと掲載。ワインのラックは三万円くらいするし、旅行は二〇万円から三〇万円ほどのパックツアーが並んでいる。これはフランスやイギリス、スペイン、イタリアに比べるとはるかに高額な印象です。

一般の人向けの雑誌のチラシや掲載されている広告も同じです。たとえばキッチン用の靴や物干し台、家具やシーツなどはほかの国に比べると割高ですが、高品質なものがずらっと並んでいます。デザインもワンランク上です。

また、欧州には個人が所有している飛行機を「Uber」のようにシェアする旅アプリの「Wingly」というサービスがあります。これは同乗者を探している飛行機を見つけることができるもの。その飛行経路を探索すると、自家用飛行機の所有者が多いのがドイツなのです。ドイツから他の国へ出かけたりもどってきたりする飛行機の燃料代を節約したいので同乗する人を募集しているのです。

乗るほうは一般の飛行機とか車を使わないで他の国に楽々と移動できるし、飛行機を保有している富裕層は燃料代が節約になるのでＷｉｎ－Ｗｉｎの関係です。こういったところからもドイツがいかに豊かかということがわかりますね。

ドイツ人が愛用する高級スーツケース「ＲＩＭＯＷＡ」

ヨーロッパの他の国でドイツ人を見かけると気がつくことがあります。それはビジネス客だけでなく一般人も「ＲＩＭＯＷＡ」のスーツケースを使っていることです。「ＲＩＭＯＷＡ」といえばシンプルでスタイリッシュかつ高級感のあるデザインで人気ナンバーワンのブランドです。日本では知っている人が多く、東急ハンズなどでも売っているほど一般化したスーツケースです。

とはいえヨーロッパではドイツの人以外はほとんど知らないという〝通〟が好む高級品です。ドイツに次いで豊かなはずのイギリスでもロンドンのセルフリッジズなど、ごく一部のデパートにしか置いていません。

イギリス人の大半は「ＲＩＭＯＷＡ」のことを知りません。イギリスに限らずイタリアでもスペインでもフランスでも、一般の人はスーパーで売っているような激安のナイロン製スーツケースを使っています。高くても一万円ほどです。市場に出回っている安物の中には三〇〇〇円ぐらいのものもある。ヨーロッパで格安航空会社いわゆるＬＣＣの飛行機に乗ると、ほとんどの人は激安のスーツケースを持っています。

そんなさなか「ＲＩＭＯＷＡ」を持っているドイツ人は目立つ。ドイツ人の服や靴はシンプルなデザインでありながら、明らかに品質の良い高級品なのがよくわかります。

かなり高品質なアウトドア用ジャケットを着ていることもあり、一見すると普通のフリースに見えるものが、メリノウール生地で一着三万円ほどすることもあるのです。

イタリアではジャケットにそんな金額を出すのは富裕層のカテゴリーに入ってしまうがドイツ人は違う。超富裕層だけではなく公務員や会社員も買います。彼らがそういう物にお金を使えるのは仕事が安定して良い給料をもらっているからです。

これはイタリアだけではなくブルガリアやアルバニア、北マケドニアの経済水準からしたら驚きです。なにしろブルガリアなど田舎のほうに向かうと、現金収入がほとんどなく月収わずか五〇〇〇円などという人がいるのです。

お金はあるが、どこまでもせこいドイツ人

お金に余裕がありそうなドイツ人ですが、彼らは堅実なので日々節約にたいへん熱心です。ホテルのカウンターで、そうしたドイツ人観光客のうしろに並ぶと厄介です。

ドイツ人はホテルの請求書を細かくチェックします。少しでも疑問があるとホテルの

カウンターで従業員に「これはなぜ請求されているのか」を細かく確認。ある程度お金がある人も同様で、彼らの細かさは体面を気にする日本人とは大違いです。

意外なのは、イギリス人は体面を気にするところがあるということ。ある程度の階級がある人とかお金がそこそこある人は「私はあまり細かいことは気にしないよ」という感じで寛容に振る舞い、細部にまであまり突っ込みません。細かいことまでこだわるのは「せこい労働者階級」だという意識があるからです。

ようするに「金持ち喧嘩せず」の精神を地でいくようなもの。

ところが、イギリス人がいったん何かを根に持つと恐ろしいことになります。裏で数年間にわたってクレームをつけるので注意が必要です。

ドイツ人の場合、こういうイギリス人のような体面を気にする考え方がありません。自分がいかに損をしないかがなによりも大切です。仕事でも同様で、ドイツ人がイギリス人やフランス人を激怒させることがあります。

たとえば多国籍のメンバーでプロジェクトを組むと、ドイツ人はまずミーティングで「この要件定義に書いてある作業をいつまでに完了する。工数はこれで間違いないか。

あとからの変更は絶対に許容しない」と挨拶もそっちのけで延々と述べるのです。

それを聞いたイギリス人がちょっとしたギャグで突っ込んで場を和ませようとすると、そこはユーモアセンスがまったく通じないドイツ人が「お前はまじめじゃないのか」と真顔で言います。ここで関係が決裂してしまい、プロジェクトは初頭から崩壊状態です。

実は貧富の差がアメリカ並みのドイツ

ドイツ人は脱税と節税にも容赦なく、投資にもたいへん熱心です。たとえばヨーロッパの租税回避地であるジャージー島をみてみましょう。ドイツ人の富裕層がアチコチでいろいろなことをやっています。

二〇〇〇年以降は投資でかなり儲かっている人がいます。これはもともとお金がある人々が不動産や株に投資をして、それが波にのって儲かったという流れです。

たとえばドイツで六六〇〇万円以上の資産を持つ人は二〇〇二年には全人口の三・二%、二〇一二年には三%でしたが、二〇一七年には三・八%に増加しています。

「Global wealth report 2021- Credit Suisse」によれば、二〇〇万人以上のドイツ人が一億一〇〇〇万円以上の資産を保有しています。さらに同レポートでは、五五億円以上の資産を有する人の数ではドイツは世界で第三位となっています。

さらに「The Forbes 2021 Billionaire's List」によれば、一一〇〇億円以上の資産を持つ人がドイツは世界第四位です。ドイツはコロナ関連のサービスや商品を販売して資産をぐんと増やした人が目立ちます。

たとえば新型コロナウイルスワクチンを米製薬大手ファイザーと共同開発した独バイオ製薬ビオンテックのウグル・サヒン最高経営責任者（CEO）の二〇二一年の総資産は四四〇〇億円を超えるとみられています。世界でもっとも若い億万長者はドイツのケビン・デビッド・リーマン氏で、なんと一八歳。父親から大手ドラッグストアチェーンの「dm-drogerie markt」の所有権を受け継いでいます。

一方でドイツ労働省が二〇二一年に発行した五〇〇ページにわたる報告書によると、ドイツの貧困者は月の手取りが日本円で九万円に満たない。非営利団体「Paritätische Wohlfahrtsverband」のロック氏によれば、ドイツの貧富差は過去一六年で拡大し格差は特に二〇〇五年の社会改革で増大。一九九五年には失業者の一五%が貧困レベルで二〇一五年には三五%、なんと失業者全体の三分の一に増加したと述べています。

驚くのはドイツの貧富差がフランスよりもアメリカ型に近いことです。ドイツでは人口の一〇%に過ぎないもっとも豊かな人々が三分の二の富を所有している。ドイツは富裕層が多いといっても貧富差も大きいのです。

奥さんが好き放題お金を使っていると思われがちなドイツ

貧富差は子どもの学力の差となって明確に表れます。

たとえば二〇一五年のOECD統計では、一一歳の科学のパフォーマンスがドイツではトップ層と底辺層で二三%以上の開きがあります。これは二七%を超えるフランスに次いで大きな差となっています。

ちなみに日本は一六%程度で、他のEU諸国はポルトガルを除きおおむね二〇%以下であることからもドイツの格差の大きさがよくわかります。

日本人は、ヨーロッパの人々はアメリカ人のように投資などやらず、福祉にお金を使って平等な社会をつくりあげているのだと言い張っています。それはあくまでもヨーロッパのことを表面しか知らないジャーナリストやブロガーが語る話です。

富裕層はさらに豊かとなり上流階級が固定されている。ただドイツは歴史のある国で富裕層はあまり表に出ることがなく、彼らが裕福になっているのがわかりづらいのです。

ドイツ人のセコさは節約や普段の生活だけに限りません。ドイツ人の夫は女性のお金の使い方に逐一文句をいう。それは、「趣味か？」とつっこみたくなるほどです。

ドイツではお金をたくさん使う女性はとんでもない女だとの認識が日本よりも強く、夫は妻の買い物に対して延々と文句をいいます。とにかく妻には無駄なものを買わせないのです。

妻が自分で稼いでいるお金でも「家庭のお金は夫婦のお金」という意識なので、服や化粧品に散財をしている妻に対して夫は容赦ない。日本のように妻が家計を掌握し支出を管理していると聞くと、ドイツの感覚ではたいへん驚かれます。

こうした傾向はドイツだけでなくイギリスやフランス、スペインといった他の国でも似ているところがあり、家計の支出に関しては日本よりもはるかにシビアです。

それに妻が家計を管理するのはヨーロッパ全体でみてもめずらしいことで、夫が家計をみっちりとコントロールしている家もかなり多いです。

家によっては妻と夫が共同の口座にお金を入れて、それで毎月の支出を管理しているケースもありますが、そういう仕組みの場合でもやはり妻は自分で稼いでいるお金を勝手に使うことができません。

なぜ彼らがこんなにみっちり家計を管理するかというと、やはり生活が厳しいために、お金のことをきちんとしておかないと将来が不安になってしまうからです。

貧富の差はどこの国でも年々広がっているし、日本に比べると安定した雇用が少なく簡単に解雇される国も少なくないので経済的な不安が大きいのです。

実際、日本人が想像するほど社会福祉も恵まれているわけではありません。医療費が無料で最低限の医療が保証されていても医療の品質が低く、別途民間の保険に加入してプライベートで治療を受ける人もいるのです。

欧米の男性が家事をする理由の真実

日本人は「欧米の男性はレディーファーストで日本の男性に比べるとずいぶん家事をやる」というイメージを抱いています。私が海外に住んで感じたのは、それは一部真実ですが、日本の人々はその背景をよく理解していないのではないかということです。

こういった議論でいつも省略されてしまうことに、欧米も日本とは比べものにならないほどの厳しい格差社会であることがあります。これを忘れてはいけません。先進国全体で比較すると格差が比較的小さめな北欧やドイツでも、日本に比べると収入の分散の様子や富の集中はやはり日本よりも格差が大きいのです。

近年は資産の有無による貧富差が広がっていて日本以上ともいえます。これらの国は日本よりも労働の流動性が高く、欧州大陸でも日本に比べると、かつてよりも終身雇用や安定した職がぐんと減っており就労環境はかなり不安定です。

加えて二〇〇〇年以後は富が特定の業界や階層の人々に流れる傾向が高まっています。これは特に金融とITで顕著です。グローバリゼーションによって産業構造が変化し、ごく少数のアイデアを有した人々や、巧みにマネジメントをする人々に富が集中する仕組みになってきました。

なぜなら、こういった産業がたくさんの労働者を必要としないからです。つまり工場のラインなどの設備がない業界だと、ごく一部の優秀な人に高い報酬を払って儲けてもらえばよい。そのため三〇年前であれば正社員として働いていた人が非正規雇用となり、給料がどんどん減っていったり仕事がなくなったりしているのです。

私の子どもの頃はスマートフォンがないので、目覚まし時計、テレビ、プリンター、ワープロ、ゲーム機、ストップウォッチなどといったさまざまなものが生産され、多くの人が産業に関わっていました。それが今ではスマートフォンに集約されてしまっている。その結果、仕事が減ってしまったのです。

とはいえスマートフォン機能の企画を考えるような人やソフトウェア開発者は需要が高く、彼らは莫大な量の仕事をこなすので高収入なのです。欧米も事務系の給料は日本よりはるかに安く、男性でもかつてのようには稼げないのです。

日本人男性が家事をしないのは過去の遺物

今では昔のように工場のラインを何時間か稼働させて仕事をするというやり方ではないので残業なしの人も多くなりました。最初から残業代の予算を組んでいませんので、「定時の間に仕事を終わらせろ、終わらせられないのはお前が無能だからだ」とはっきり言われます。このような状況なので男性も早く家に帰ってきます。

夫の稼ぎが少ないので、奥さんもフルタイムで男性並みに働かなければなりません。奥さんの経済的な力が強いので男性も家事をやらざるを得ないのです。それでも家事の多くは奥さんの仕事が多いので、男性は芝刈りとかゴミ捨てなどをやっています。

育児や家事負担の不平等という声は決して日本に限ったことではない。とはいえ日本と違って特に欧米の場合は合理的思考ですから、家事に精神性や家族への忠誠心などといったことは期待せず、あくまでも「やらなければならない作業」として処理をします。その結果、低賃金の業者に外注することが少なくありません。

ただし外注できる家庭は夫婦である程度の稼ぎがある場合に限ります。どこの国々も国民の収入中間値は日本とさほど変わらないので、外注できる家はそんなに多くない。低賃金の移民で家政婦のような仕事は、大都市であれば時給二〇〇〇円ほどかかるし、地方都市とか物価が安めのところであっても時給一〇〇〇円くらいです。

物価が高いので家政婦を手軽に頼むわけにもいきません。そこで家事を極力機械化し手抜きする。たとえば料理はしないで、冷凍食品を電子レンジでチンするだけで掃除は日本のようにこまめにしない。これが夫が家事を手伝う欧米の実態です。

日本で夫が家事をあまりやらないし、できないのは文化的な側面もあります。また、家計が夫ひとりの収入に頼っているケースが少なくないからでしょう。日本人男性は労働時間が長いため、家事をする体力も気力もないということにも原因があります。

とはいえ日本でも技術革新の進展などで労働スキルの格差が広がっていくと、それについていけない夫は稼げなくなる。すると帰宅時間が早くなるので、家事をする時間が増えるというか家事をやらざるを得なくなるでしょう。つまり仕事が以前よりも減れば家事をする夫が増えるわけで、それが良いのかどうかはよくわかりません。

欧州はDQNだらけで美術館に行く人はごく一部

以前、某有名インフルエンサーの方がつぶやいたことに私が反論した際、ずいぶんと反響がありました。彼女いわく、ヨーロッパではほとんどの夫婦がベビーシッターや家政婦を雇って子守や家事を外注し、美術館や博物館に出かけるなど「大人の時間を楽しむことが当たり前だ」ということでした。

おそらく彼女は、海外に住んで現地で働いたことも事業をやったこともなく、実際は本社の単なる出張所にすぎない日本にある外資系企業の支社で働いたことがあるだけ。本やテレビで見聞きした知識、そして旅行で短期間訪れたところの印象のみで発信したのでしょう。外資系の会社に勤務されていたようなので、そのような業界におられる「高学歴高収入の外国人」の生活を垣間(かいま)見たのかもしれません。

ところが欧米の社会全体を熟知している私の立場から言わせていただくと、これは大きな誤りといわざるをえない。そもそも文化設備がたくさんあるヨーロッパでも普段から美術館や博物館に行くような階層は限られています。

イギリスの場合は社会の上位一〇パーセント以内で年収が一〇〇〇万円を超える人々のことです。欧州大陸はもう少し芸術に興味のある人が多いのでその割合は増えますが、それでも普段から西洋絵画とかクラシック音楽のような「ハイソなもの」を楽しむ人は決して多くはありません。

みなさんご存じないかもしれませんが、芸術の国であるフランスでもっとも人気がある音楽はギャングスタラップやヒップホップです。黒人の格好をした若者が「よーよーワザップ‼ 警官をぶっ潰せ‼」とやっている。最近は内容が悪化する傾向にあり、本家アメリカよりも過激なケースがあります。

これはイギリスでも同様です。若い人たちに大人気なのは、こういうラップが過激化した「ドリル」という音楽で、「敵をぶっ潰せ‼ ナイフでえぐれ‼ オーイェー」というような曲が大人気です。たまに若者に日和(ひよ)ったBBCがこのドリルで有名な人を夕方の番組などに出すことがありますが、敵対グループに襲撃される危険性があるため、覆面で目だけ出して登場することになっています。

こういう音楽を聴く人々はもちろん美術館や博物館になど行きません。そんな年寄りくさいものに使うお金があったらドラッグとか別のものに使います。イタリアであっても若い人はそういう古臭いところは嫌いなので出かけません。

代わりに彼らが好むのはクラブやバーです。イタリアはＴＫ（テツヤ・コムロ）的な一九九〇年代のキラキラテクノがお気に入りです。ちょっとクラシカルなものが大好きであり、それらの音を流してブンブン踊りまくります。

スペインやギリシャもさほど変わりません。ラップよりも軽快に踊れるテクノっぽいものが人気で、夏になると若者が体全体を揺らして踊りまくっているのです。

またイギリスでは博物館や美術館は無料のところが多く、欧州大陸の場合は有料のミュージアムも少なくないのですが、芸術的なイベントは無料のことがあります。それでも地元の大半の人々は博物館や美術館に出かけません。

これらの地域は階級社会でハイソな文化を楽しむ人は高収入で高学歴の人々に限られています。日本のようにカルチャーセンターなどで古代ギリシャの彫刻とか中国古代史の講義などをやっているわけではないのです。需要そのものがほとんどないので、そんなハイソなカルチャーセンターというものがありません。

市役所の市民講座は若干ありますが、これから働きたい移民向けの英語講座、中卒資格さえ取らなかった方のために英語と算数の学び直しコース、再就職したい人向けの介護講座、ちょっとした外国語講座程度でハイソなカルチャーセンターとは違います。

イギリスの一般人の娯楽は限りなく底辺だった！

イギリスの一般人は普段、何を楽しんでいるかというと「泥酔すること」です。

中年であってもパブやバーで床や路上に寝込むほど泥酔する人がいます。それが決して少ない数ではない。家の中でもアルコールを大量に消費しており、アルコール中毒や付随するＤＶ、肥満が大きな問題になっています。

さらに彼らはクラブやバーに出かけることも大好きです。これは中年であってもめずらしくありません。そこでナンパされて不倫をすることも少なくない。日本に比べると人間が〝枯れる時期〟が遅いのです。

休暇で海外の激安ビーチに出かけることも人気です。ビーチで何をするかというと、ガンガンに日焼けして一日中ビールを飲んでいる。女性の場合は中年でも露出度の高い服を着てナンパされるのを待ちます。日本人のように海外に出かけたからといって、いろいろなところを観光でまわるわけではありません。

男性の場合、サッカーが人生の一部のようなものです。毎週のようにサッカーくじを購入し、シーズンチケットを買ってお気に入りのチームを応援する。イギリス人にとってのサッカーは日本の競艇や競馬に該当し、その雰囲気たるや熱狂的なのです。

彼らの外での楽しみは外食とかビンゴに出かけるくらいのもので、日本に比べるとあまり文化的な活動には興味がありません。そのため美術館や博物館が無料でも出かけない。ベビーシッターや家政婦を雇って、わざわざそんなところに出かけるわけはありません。そもそもそういう文化がないのです。

お金がない彼らがベビーシッターを雇って出かけるとき、それはビンゴ大会やクラブ、子どもを置いて海外へ遊びに行く場合などです。ただし大半の年収は三五〇万円とか四〇〇万円でお金がないので、業者に頼まず自分の親とか親戚に子どもを押し付けて旅行する。そういう子どもを連れた高齢者を街中でよく見かけることがあります。

なので日本人が想像するハイソなヨーロッパの人々は本当にごく一部であって、日本のマスコミにたびたび登場するような「海外通を偽装している人々」は現地のことをあまりよく知らないのです。

実は超治安が悪い北欧

日本人は北欧に夢のようなイメージを抱いている人が多いのですが、実は治安が悪い街が少なくありません。国連は一〇万人あたりの殺人数を調査し、ヨーロッパのもっとも危険な街をランキング化しています。

それによると、なんと驚くべきことに一位から三位までをバルト三国のリトアニアの都市が占めるのです。バルト三国といえば、日本のブログや旅行雑誌で「ロマンティックな小国」「北欧の香りが漂う中世の国」と紹介されています。

ITで有名なエストニアのご近所にあるので前向きなイメージの人だらけですが、現実は大違い。欧州一危険とされた一位のカウナスは一〇万人あたりの殺人が五・四人。

他のリトアニアの危険都市はスリや交通事故も大問題で三位までを独占しているのです。四位はなんと意外なことにフランスのマルセイユでした。一〇万人あたり三・五人と高い数値です。フランスも治安が悪い場所が少なくなく、特に南部のマルセイユは港町ということもあってかドラッグや麻薬問題も深刻です。

同国のニュースサイトでは、この街で発生した乱闘や殺人の事件がよく報道される。公共設備やサービス関連も貧弱で二〇二一年にはマルセイユの小学校でネズミが大量発生し、子どもが自宅待機を命令されるという事件が起きているほどです。

五位はハンガリーのデブレツェンで一〇万人あたり三・〇人。六位はスロベニアのセリージェで二・六人。どちらも日本の北欧ツアーでは「ロマンティックな街」と宣伝され、中高年が高額な旅行費用で訪れる国です。ハンガリーも経済的に豊かとはいえず、地方に足を延ばしても仕事がないので、若者の多くは西側へ出稼ぎに行くのです。

七位がイギリスの北アイルランドにあるベルファストで二・四人となっています。このベルファストは宗教問題を抱える北アイルランドの首都で、一九七〇年代から八〇年代は爆弾テロや市街地での銃撃戦が当たり前でした。

ウチの夫が親しい友人や私の知人は北アイルランドの出身が多く、彼らの親戚や近所の人が地元の銃撃戦に巻き込まれて亡くなった。私の知人のお父さまは、近所で銃撃戦が起こり隣の人が目の前で撃たれて殺されたことを涙ながらに語っていました。

ある友人は北アイルランドでは爆弾テロが多すぎて慣れてしまい、爆撃の合間を通学通勤するのが当たり前だったそうです。彼は地元の政情不安や貧しさに耐えかねて、一九八〇年代前半に地元を出て学者となり、その後ずっとイングランドやオーストラリアに住んでいます。その彼はこう嘆いていました。

「地元には戻らない人が多い。仕事もないしホントに悲惨だよ。みんな帰省すらしないんだ。この前だってバスが放火され大きな騒動もあっただろ。今だって一触即発なんだ。誰がそんなところに住みたいと思うか?」

イングランドでは北アイルランドへ観光に出かける日本人は奇人扱いされるのです。

ちなみにアメリカでもっとも危険なセントルイスの場合、一〇万人あたりの殺人数が六〇・九人。欧州で一番危険なはずのカウナスのなんと一一・二倍であり、アメリカの危なさは桁違いということなのです。

警察庁の平成二九年の「犯罪統計資料（暫定値）」によれば、日本でもっとも殺人数の多い大阪でも一〇万人あたり一・二人ですから日本がいかに安全かよくわかりますね。

第7章　世界の「イギリス王室と政治家」を日本人は何も知らない

新たに誕生したプリンセスの名前はこんなに長い

ヘンリー王子とメーガン妃に、二人目のお子さまとなるプリンセスが誕生しました。その名付けをめぐってイギリスは揺れています。新型コロナウイルスよりもこちらのほうが重要というのが実にイギリスらしい！

プリンセスのお名前は「リリベット・ダイアナ・マウントバッテン・ウインザー」。日本ではあまり詳しく報道しないので、ちょっとこのお名前について説明いたしましょう。

まず「リリベット」とは幼かったエリザベス女王が、自分の名前であるエリザベスをうまく発音できず「リリベット」といっていたのを、お父さまであるジョージ6世があだ名にしたものです。日本の感覚では次のような呼び名といっていいでしょう。

「りりっぺ」「りーちゃん」「りりこちゃん」「りりにゃん」「りりにゃ」「えりざべちゅ」

幼女の発音なので、いちばん近いのが「えりざべちゅ」でしょうか。このあだ名は後日、夫となったフィリップ殿下が受け継いで、私的な場で使っていましたね。ちょっとかわいいご夫婦ではないですか。

話をもどすと、「リリベット」＝「えりざべちゅ」。子どもや孫が使うには特別なあだ名であり、家族のなかで特別な関係にある人だけが使える呼び名です。

次に「ダイアナ」はご存じのとおりヘンリー王子のお母さまのお名前で、ウイリアム王子のプリンセスと重なってしまう可能性もありますがあえて付けたわけですね。

また「マウントバッテン」はフィリップ殿下のファミリーネームです。フィリップ殿下の家系はギリシャにもゆかりがあるドイツ系の王族なので、それを入れてご先祖さまに敬意を表している。ちなみにフィリップ殿下のお家は解体されています。

ギリシャは王族を廃止したうえにドイツも廃止なので、領地もなく統治する民もなく、ようするにフィリップ殿下のところは「落ちぶれた旧家」状態でした。そのため殿下は軍人になり、エリザベス女王の婿養子に入りました。『サザエさん』でいえば、マスオさん。けっこうツライ立場だったのですね。

なお姉妹はドイツに嫁ぎました。殿下の従兄弟や親戚はそのままドイツにおります。

このあたりは欧州の王族的な感じですね。国境を超えた婚姻で国同士、領地同士の紛争を防いできました。つまりは日本の戦国時代と同じです。

お名前の最後となる「ウインザー」はヘンリーとメーガンのお家名です。日本の秋篠宮などにあたります。このように説明するとプリンセスの名前を日本式に直した場合、この夫婦の感覚がどれだけおかしいか、よくわかるのではないでしょうか。

ヘンリーとメーガンの第二子はDQNネーム!

「YouTuber」ならありかもしれないけど「えりざべちゅ」が本名であれば一般人でも微妙じゃないかと思います。しかも、これはプリンセスのお名前。すなわちDQNネーム。王族なのでイギリス国民はドン引きなのです。

ヘンリー王子とメーガン妃夫婦は「リリベット」の使用許可を女王からビデオコールで取ったと主張していますが、BBCなどマスコミ取材によりウソであったことが判明してしまった。それに激怒した夫婦はBBCを訴えるといっています。

なんだか穏やかではありませんね。これに関しては寛容なエリザベス女王の堪忍袋の緒も切れてしまったようで一大事になっています。これまでの慣例ではイギリス王室はマスコミなど報道機関に対して「never complain, never explain」（苦情を言わず、説明せず）、つまり一切コメントなし反応もしないとの方針を貫いてきました。

特に女王さまに関しては徹底されており、ダイアナ妃がBBCのインタビューで不倫を告白した際にも王室は一切コメントを出しませんでした。

そのため女王さまがインタビューに答えるところを見たことがない人が多いのです。チャールズ皇太子やウイリアム王子は、私的なことや個人的に興味があることに答えることがあります。チャールズ皇太子は特にフランクです。

たとえば自然食品や庭づくり、伝統的な建築についてなど、チャールズ皇太子が興味を持っていることはテレビでの特別番組で柔軟に語っています。庭づくりの様子とか領地の視察風景もよく放送されます。

王族の仕事の中心は領地の管理なので、今でも地元の管理人さんや王族の土地を借りている農家の人を訪問して世間話をするようです。このあたりは皇族と随分違うので驚きます。やっぱりイギリス王室の本質は「地主さん」なんですね。

だから彼らは皇室のように「国民のために祈る」という宗教行事はほとんどしません。季節の合間に取り組む祭祀もない。皇室に比べ伝統や精神的なものを司る役割がないのです。とはいえ女王さまは別。そこまでフランクな交流や発言はありません。

ところが「サンデー・タイムズ」の取材では、ヘンリー王子とメーガン妃夫婦の度重なる虚言やマスコミ露出に関し王室は反論していく方針らしいです。これは王室の歴史を揺るがす大事件なのです。

ヘンリー王子とメーガン妃夫婦はプリンセス誕生の直前にアメリカのテレビやネットで王室を徹底して批判しました。さらに無許可のインタビューを放映し、身内を公共の場でひどくけなしました。それなのに関係を修復したいということで、その手段として赤ん坊の命名を使うという感覚。これは一般人でもドン引きです。

そのうえ夫婦があれだけ主張してきたアフリカ系の伝統や人種に関する問題について、子どもの名前では一切無視。お祖母さんであり、メーガン妃のお母さんであるドリアさんの名前もアフリカ系の名前もミドルネームに入っていません。

ドリアさんは離婚後も苦労してきたので、少しは配慮してもよさそうな気がします。

これには大きな矛盾を感じます。苦労してきた身内の名前は無視。ウリになりそうな王室ゆかりの名前は使用。これには王室の名で商売したいだけではと疑う人が多いのです。若夫婦の振る舞いがここまで暴走するとは王室も国民もまったく予想していませんでした。王室のヤンキー化、商業化、伝統を単なるハンドバッグのブランドのように扱う流れは日本にとっても他人事ではありません。

フォトショしまくり写真で激怒される

二〇二一年九月にイギリス国民を激怒させたのは、ヘンリーとメーガンがなんとアメリカの権威ある雑誌『ＴＩＭＥ』の「世界でもっとも影響力がある一〇〇人」に選ばれ、表紙を飾ったことでした。王室をコケにして、暴露話をしたうえ王室を利用して銭儲けをしているのに、まだ目立ちたいのかと怒った人々が大勢いました。

芸能人でもないのにタレントやスポーツ選手が表紙を飾るような雑誌の表紙になることも許せないのに、旧植民地のアメリカの雑誌だったことに激怒した人がたいへん多いのです。イギリスにとってアメリカは、あくまで格下という感覚なのです。

さらにイギリスの人々を激怒させたのが、この写真がフォトショしまくり、つまり修正だらけだったのです。結果、「お前いったい誰や?」状態になってしまった。

何をやっても批判された夫婦だったので「アンタたち、いったい何なの?」と怒られたわけです。しかもポーズがあまりにもダサいので、一気にネット上の「ミーム」(ネタ)と化し、さまざまなコラ(合成写真)が生成されて全世界にまかれました。

つけられているコメントも散々でした。

「吐きそう」「ジョークかよ」「毛が増えている」

いかにこの夫婦が世界中からネタとして〝愛されているか〟を象徴するものでした。

そのうえメーガン妃が表紙で身につけていた派手な宝石の数々は「成金と下品の極み」「どうみてもワンルームマンションを売りさばくツーブロックゴリラ不動産屋の妻」という感じで国民の注目を集めました。

まず三五万ドル(約四〇〇〇万円)の自分でデザインした三連の婚約指輪で、お約束のように金色で、ダイヤモンドが埋め込まれています。王族が身につける婚約指輪は代々受け継がれたものや伝統的なデザインのものが当たり前。わざわざ自分でデザインし、それも「三連で金色」というのは下品なのです。たしか三連リングは日本でもバブル期に大流行しましたね。

次が小指にはめた五二五ドル（約五万七〇〇〇円）のピンキーリング。ニューヨークの「Shiffon」というブランドのもので、ミシェル・オバマやセレーナ・ウイリアムズなどの「意識高い系有名人」もつけているため「アメリカ寄りで、ミーハーで実にダサい」と批判されています。

当然ながら王室関係者は大のブランド好き

さらにメーガン妃はカルティエの「Tank Française」という金色の時計を身につけています。市場価格は二万三〇〇〇ドル（約二五〇万円）で、かつてダイアナ妃が装着していたものをヘンリー王子からプレゼントされたと考えられています。

ちなみにダイアナ妃が身につけていたので実際の価格はもっと高いと想定されます。

これまで親族を散々けなしている夫婦が、ダイアナ妃が愛用していたものを公の場で自慢するのはなんともおかしいですね。

そしてメーガン妃はカルティエがたいへんお気に入り。六九〇〇ドル（約七六万円）のカルティエのラブバングルも身につけています。これは日本では先述した安室奈美恵さんが、かつて夫だったＳＡＭさんとペアで装飾していたことで有名になったアクセサリーです。バブル期を象徴するような非常に懐かしい感じがする逸品です。

これもヘンリー王子からのプレゼントだったといわれています。不吉なのは、王の座を投げ出して離婚歴があるシンプソン夫人と結婚したウインザー公が夫婦で愛用していたものと同じだったことです。

この夫婦は生涯イギリス王族から憎まれ、シンプソン夫人はかなり歳をとってからも皇室の公の場に正式に招かれることがなかなかありませんでした。晩年はフランスに引きこもって寂しい生活を送っていたようです。

さらにメーガン妃は「ＪＥＮＮＩＦＥＲ ＭＥＹＥＲ」というブランドの三〇〇〇ドル（約三二万円）の「ＭＩＮＩ ＴＥＮＮＩＳ ＢＲＡＣＥＬＥＴ」という金色のギラギ

ラとしたブレスレットも身につけています。このデザイナーのジェニファー・メイヤーさんは映画『スパイダーマン』で主人公を演じたアメリカの俳優トビー・マグワイアの元奥さんです。

この夫婦は二〇二〇年に離婚しています。ジェニファー・メイヤーさんはユダヤ系で「NBC Universal」の副会長の娘さんなので、かなり貧困な家庭に育ち、成り上がりたい一心だったトビー・マグワイアの「玉の輿婚」だったという噂がありました。早々に離婚してしまったところを見ると、どうもそうだったようですね。

ジェニファーさんは豊かな家庭に育ち、大学では児童心理学を専攻していました。元々デザイナーではありませんから、半分趣味のような感じでデザインをやっているのかもしれません。こういった芸能セレブ系の人がデザインしたアクセサリーを王室関係者が身につけるのは、あまり感心されたものではありません。

テレビ局に圧力をかけたヘンリー王子とメーガン妃

このような騒動を起こしているヘンリー王子とメーガン妃は二〇二一年三月、アメリカの人気司会者オプラ・ウィンフリーのトーク番組に出演。イギリス王室は人種差別主義者で彼らの子どもアーチーを差別し、心理的なダメージを受けたことを思いっきり語っています。

このインタビューを見たイギリスの民放ＩＴＶの「Good Morning Britain」という朝のニュース番組で司会者をやっていたピアーズ・モルガン氏が「僕はメーガンの言葉は、まったく信じないね」と述べたところ、メーガン妃本人を含め各方面からイギリスの通信庁へ合計五万七〇〇〇件の苦情が送られました。

モルガン氏はＩＴＶの社長から「謝罪するか番組から降板しろ」と言われ、メーガン妃の人種や人格を否定したわけでなく自分の見解を述べただけだと反論。それなのに謝罪を要求され、降板までちらつかされたことにあきれて番組を辞めてしまいます。

この番組は辛口な時事評論や有名人への厳しい質問で知られている報道番組で、誰に対しても厳格な意見を述べることが当たり前でした。政治家を朝から出演させ徹底的に追及するということもよくありました。

モルガン氏は単刀直入な物言いで知られているし、イギリスは表現の自由に関する意識が日本より高く、これまではこのぐらいの発言でテレビ番組の降板を言い渡されるようなことはなかったのです。

チャールズ皇太子やアンドリュー王子とその元妻や子どもたち、ケイト・ミドルトンやその家族、さらにダイアナ妃に対しては、もっと厳しい批判や報道がされてきました。そのためモルガン氏だけではなく、保守系のコラムニストや評論家は「なぜ彼女だけがこんなに保護されるのか」と疑問視しています。

二〇二一年九月、イギリス通信庁の回答は次のようなものでした。

モルガン氏に対する苦情は正当性がなく、表現の自由を侵すものだと判断しました。ハッキリ言ってメーガン妃による苦情はやりすぎで、ＩＴＶの社長がモルガン氏に降板を言い渡したのはジャーナリズムの正当性を損なうものだ、ということでした。

モルガン氏が番組を降板したあとにオプラのインタビューは検証され、ヘンリー王子とメーガン妃が主張していた王室の問題について、一七の虚偽があったことが判明しています。彼らはこれに関してまったく謝罪していないのです。

こうした検証内容はイギリスではテレビや新聞で広く報道。この夫婦の発言がいかにいい加減なものであるかの裏づけになっています。表現の自由を侵すことは、イギリスにとって社会の根幹的なことを侵す行動なので、自分の有名人という立場を使ってテレビ局に圧力をかけていたことは大きな批判にさらされているのです。

イギリスの健康大臣、ゲス不倫で辞任

二〇二一年夏。イギリスでサッカー欧州選手権「ＥＵＲＯ ２０２０」以上に盛りあがったのが、イギリスの健康大臣マット・ハンコックさんがゲスダブルハゲ不倫で辞任したというニュースです。健康大臣の仕事は日本だと厚生労働大臣にあたります。

この方はイギリスのコロナ禍で初期の頃からコロナ対策を統括。対策が二転三転し、理論的ではない部分があるなど、相当なツッコミを入れられていました。

さらに初期の頃には、政府のコロナ防疫がユルいと一般の国民から批判にあっていた。それでもBBCはこの大臣をまったく追及しなかったし、保守系の民放テレビ局ITVの朝のニュース番組「Good Morning Britain」では保守系のコメンテーターで前述したピアーズ・モルガン氏がこの大臣をしつこくレポーターとして追い回し、番組に引きずり出して「お前は全然仕事をしていないバカ助」と言いました。

こうして朝の七時台からボコボコにしたという経緯があります。こういうことをやるイギリスのテレビや新聞はある意味で真のジャーナリズムが生きていると感じます。

このように仕事ぶりが微妙だといわれてきたハンコックさん。今回なぜ辞任したかというと、自分が指名して雇った政府アドバイザーの女性とコロナ禍の只中に政府のオフィス内で不適切な行為をしているのを監視カメラに激写されてしまったのです。

その映像がなんとイギリスでもっとも恐ろしいと呼ばれており、最大部数を誇る新聞の「サン」にすっぱ抜かれてしまいました。サンは日本だと「週刊文春」のような媒体で、「サン」のスッパ抜きは日本でいう、まさに〝文春砲〟なのです。

イギリスでは「ガーディアン」とか「タイムズ」のような高級紙を読んでいる人は稀

で、一番人気が「サン」なのです。

なぜ中央政府の監視カメラの映像がここに流されたのか――。

常識的に考えるとセキュリティに問題があります。イギリス政府は、この件に関してこれ以上の深追いはしないとのこと。なんとなく内部の人がハンコックさんを追い出したかったのかなという気がしますね。

さて問題はこの方、仕事中に女性とだらしない行動をしていただけではありません。イギリスはコロナの規制があるので、他人とは二メートルの間隔を置かなければならない。ワクチン接種は進んでいますが、二〇二一年の春から夏にはデルタ株が猛威を振っており、人間の近くに行ってはならないのです。室内だとマスク着用が義務であり、葬式も三〇人以上の参加は禁止でした。

ところがハンコックさん、規制を絶対に守れと自分がいいまくっているのに、それを完全に無視して愛人と逢瀬を重ねていた。国民の怒りは収まりません。テレビでも娘さんが亡くなった方が「葬儀に親戚が全員出席できないからオンラインでやっているのに、あなたはなんで濃厚接触しているのか」と怒りをぶちまけていました。

ハンコックさんは以前、コロナの防疫研究をやっている科学者が規制を無視して不倫していたニュースを批判していたのですよ。もう言い訳できませんね。彼らに比べると日本のコロナ対策担当の方々がどれほど高貴なのがよくわかります。

公私混同どころではないイギリス閣僚

ハンコックさんの愛人の仕事は、お客さんからお金を貰って政府に圧力をかける商売のロビイストなのです。この人を政府のアドバイザーとして雇って、しかも自分の愛人にした。日本だとかなりドン引きする案件ですね。

しかもこの方の旦那さんは意識高い系の洋服屋をやっていて超お金持ち。親はイタリア系の医師で製薬会社の幹部なので実家も裕福です。彼女も旦那の会社の広報担当で、ほかにもビジネス活動をしているのでお金に困ってはいません。

それなのになぜかこの方、まったく専門性が違うのに、元健康大臣であるハンコックさんに政府の外部委員に指名されて二〇〇万円ほどもらっていたらしいのです。洋服屋の広報を担っている人が新型コロナのアドバイザーなどとてもできるとは思えません。

公私混同どころの話ではない。イギリスのほかの国会議員やボリス・ジョンソン首相の周りの大臣たちはこういったアドバイザーを雇うとき、政府にはかなり厳しい採用審査プロセスがあるとのこと。しかし、洋服屋の広報担当が簡単にコロナのアドバイザーになれてしまうわけで、その審査プロセスが真面目なのかどうかは疑わしいです。

そしてその雇われた経緯というのも胡散くさい。この女性とハンコックさんはオックスフォード大学に在籍していたとき、地元のラジオ局で一緒にバイトをしていたご縁でお友だちになって親しくなったとのことです。

卒業後はそれぞれ違う道に進むのですが、ふたりの関係は長い間にわたって継続していたようです。お互いそれぞれ結婚、ハンコック氏の奥さまは同じくオックスフォード大学出身の医者で、典型的なタイプの白人の中年女性です。

ハンコックさんの愛人も四〇代前半で子どもが三人います。日本だったら仕事も多忙で不倫する気力もないでしょうが、この人たちはパワーが有り余っていたようです。

このようなニュースからイギリスの上層階級というか成り上がりというかエリートの

人々の真の姿が見えてきます。見た目はすこし「きしょい」（大学のご学友談）のですが、みなさん口がお上手。外見は上品を装っている反面、中身はこのようにグチャグチャな方もいるのです。

不倫だけだったらまだマシなのですが、なんとこの件に絡んでハンコックさんの不正行為が次々と明らかになっています。そのひとつ、愛人の弟がやっている会社が、なんと国立病院のコロナ案件の入札に受かりまくっていたのです。

これはどう考えても利益供与です。さらに愛人の弟の会社だけではなく、自分の弟の会社の株式をハンコックさんは一五パーセントも保有。この会社も国立病院との商取引に入札し、何度も落札していることが明らかになってしまいました。

健康大臣がそんなことをするのは、どうみても汚職です。もっと恥ずかしいことに、ハンコックさんは政府の機密情報が山盛りになっているメールを自分の Google のメールアカウントで送りまくっていたことも発覚。普段からセキュリティとか機密情報の重要性を語っていたのですが、Ｇｍａｉｌで送信したらマズいのは素人でもわかります。

オックスフォード大学を出ていて、お勉強はできてもオツムはよろしくないようで、そのような人がコロナ対策で陣頭指揮を執っていたのは恐るべきことです。

コロナ防疫の知識皆無なイギリスの政治家

イギリスのコロナ騒動が初期の頃、二〇二〇年の三月とか四月にこの大臣、重症患者受け入れセンターや病院などへマスクをしないで、しかもスーツのまま訪問しまくって頻繁に感染者に会いにいっていました。

ソーシャルディスタンスなど、どこ吹く風。私はテレビの中継を見ながら「この人、大丈夫なのか?」と思っていたのですが、案の定コロナらしき症状が出ておりました。毎日のように会っていたボリス首相はコロナに感染して死にかけています。

ちなみにボリス首相もオックスフォード大学出身の同窓生で、この男を登用しています。どちらもお勉強はできるらしいのですが、常識的なことが皆無で大馬鹿者であることがバレてしまった。こういう人たちがドヤ顔で我が国のコロナ対策はバッチリやっていると言ってもまるで説得力がありません。

イギリスは初期のコロナ対応策がわからず、二〇二〇年の夏までマスクは不要と政府が強弁していました。政府だけではなく、そのアドバイザーの科学者も「マスクにはまったく効果がない」と言いまくっていたのです。

台湾や中国などではコロナ対策のデータが出回っていて、あちらでは部屋の換気をしてソーシャルディスタンスも確保しているのにイギリスでは無視していたのです。

日本では大学や理化学研究所などでリサーチをしていた飛沫（ひまつ）の分散シミュレーションなども出回っていましたが、そういうものもイギリス政府はまったく紹介しませんでした。手を洗う習慣すらなく、土足で生活し、トイレは流さず放置する。テーブルや手すりがドロドロという〝不潔大魔王〟だらけの国なので、それはホントに恐怖でした。

コロナ対策の注意をガン無視のBBC

東アジアの対策をいち早く熱心に報じていたのが保守系の民放テレビ局ITVの「Good Morning Britain」と、左翼系の人々から極右新聞と呼ばれている「Daily Mail」だけでした。どちらも利用者は中年以上が中心で保守系の人々が多い媒体です。

健康に留意している方々に向けて保守系コメンテーターのピアーズ・モルガン氏は、イギリス政府の対策はここがおかしく、東アジアから学ぶべきだということをはっきり語っていました。

天下のBBCはそんなことをほとんど触れていない。そして日本のNHKが放送するようなコロナに関する科学的なドキュメンタリーもまったくナシ。悲惨だったのはバスや病院、介護施設、学校等に勤務する人々で、政府のガイダンスで「マスクと換気は不要」となっていたので相当数の人がコロナに感染して亡くなってしまいました。

バスの運転手の家族の中には、父がコロナに感染して死んだのは政府のアドバイスがおかしかったからだということで訴訟を起こしている方もいるのですが、現在そのような訴えはほとんど無視されています。

実際に私の知り合いの日本人で、イギリスの学校に勤務していた方がいるのですが、この方も政府のガイダンスに学校側が従っていたので結果、コロナに感染しています。ご本人は東アジアの状況をご存じだから濃厚接触を避けたいと言っていたのに、政府のガイダンスがおかしかったので結局、感染させられてしまいました。

ハンコックさんのようにコロナ禍の最中に愛人と会って、仕事場でいかがわしい行為をしてしまうようなトンデモない人々が意思決定していたのだから、対策がひどかったのは想像するまでもありません。

優秀な科学者たちが一生懸命ワクチンを開発し、製薬会社も頑張ってワクチンの製造をしてくれたのでなんとか大勢の人が助かりました。ワクチンが開発されていなかったらと思うとぞっとします。

日本では「イギリスをはじめヨーロッパの政治家は日本より立派だとか倫理観がある」ことを繰り返し強調する方もいますが、実際はこのように日本人がドン引きするようなゲスな人々が意思決定をして数多くの運命を左右しているのが実態です。

私は以前、世間知らずの若者でしたので日本の一部の偉い方々の意見を鵜呑みにして「欧米には日本より優れた人々がいるのではないか」と思い込んでいました。ところが実態はその逆でした。日本の政治家もいろいろ問題はありますが、イギリスのようなゲスなことをする人々はあまりいないのではないでしょうか。

ドイツ皇帝のひ孫の落ちぶれ方がすごい

イギリスの王室や政治家のゲスさも目に余るものがありますが、王制を廃止してしまった隣国の元王族や皇帝の血筋を引く方々の落ちぶれ方も近年は著しい感じです。最近ヨーロッパで話題になったのはドイツ皇帝の子孫の醜態です。

プロイセンのヴィルヘルム二世、つまりドイツ最後の皇帝のひ孫である六七歳のエルンスト・アウグスト五世はオーストリアで泥酔したうえ警官に暴行、使用人を脅迫し逮捕され有罪、一〇カ月の執行猶予判決を受けています。

この方、現在はハノーバー家の当主で、モナコのカロリーヌ公女のご主人、イギリスのエリザベス女王のご親戚というスーパーセレブなのですが、どうも酒乱の気があるらしく、しばしば問題を起こすので欧州では「またあの人か」といった冷たい目で見られています。

また借金まみれなことでもたいへん有名です。その上、息子のエルンスト・アウグスト氏（名前が同じ）にマリーエンブルク城なる城を譲渡したのですが、維持費がかかりすぎるのでドイツ政府に一ユーロで売り飛ばしたことに激怒して訴えているのです。

欧州の王族や貴族の城は維持費や修繕費が莫大で、所有するのはなかなか大変です。その多くは観光客を受け入れたり、農場やイベント会場として経営して費用を補填しているのですが、それでも無理な場合は政府にタダ同然で譲渡したり、お金がある民間の人に販売することがけっこうあるのです。王族や貴族の生活も楽ではございません。

ドイツは王制を廃止し一九一九年には肩書の使用を禁止しており、社会から王制や皇帝に関わるものを抹殺しようという意識が強いです。とはいえドイツは肩書が大好きなお国柄で、名刺にわざわざ自分の卒業した大学の学位を記すなど肩書と権威を誇示するのがやめられないのです。

その一方で肩書がある人に対する嫉妬もすごい。だからなのか、肩書がある人を引きずり下ろす仕組みをつくったのです。日本が華族制度を廃止したにもかかわらず、いまだに上流階級に憧れが強いことに似ていて一般人には複雑な感情があるのです。

このようなドイツの「理想」と「現実のドイツ人の意識」にはかなり乖離（かいり）があるのですが、そういったギャップが皇帝のひ孫さんのメンタルにも、なんらかの影響があるのかもしれません。

王室が残っているイギリスは肩書にこだわりがなく、どちらかというと「いくらお金があるか」という実利的な面ばかり重視します。王室を「見世物」みたいな扱いにすることも多いのでドイツとはたいへんな違いです。

第8章　世界の「風俗とドラッグ」を日本人は何も知らない

スワッピングが大好きなイギリス人

日本人はイギリス人というと、シャーロック・ホームズのような紳士や女王さまみたいな淑女を想像する方が多いのですが、現実のイギリス人の生活は日本人の推測とはずいぶん違っています。象徴的なことのひとつがイギリス人の性生活です。

日本ではあまり見かけませんがイギリスでよく話題になるものにスワッピング、いわゆる夫婦交換があります。これを英語では「スウィンギング」といい、愛好する人々のことを「スウィンガー」と呼びます。

イギリスでは愛好者が集うＳＮＳとして「Clubs4Fun」というサイトが大人気。密室ではなく、なぜか森とか農場など野外で事を行うのがイギリスらしさ。イギリスは寒いので夏に集中しているのですが、夏でも気温が低く突然雨が降ってくることがあるにもかかわらず、そんなことは気にせず熱心に取り組む人々がいます。

コロナワクチンの接種が進み、イギリスでは外出の規制がほぼ撤廃されました。撤廃後に大人気なのがなんと、このスウィンギングを行うイベントです。

ＢＢＣの「トップギア」で司会をされていたジェレミー・クラークソン氏は、スウィンガーたちの被害にあったひとりです。彼は最近 Amazon の動画サイトで「クラークソンズファーム」という番組を流しており、農場でいろいろ挑戦する活動をしています。なんと、この農場がスウィンガーたちの社交場に選ばれてしまったのです。

スウィンガーたちの間では、有名人の農場や所有地で会合を企画し活動するのが流行っており、さらにオーガニックな農場での活動推進が大人気です。クラークソン氏の農場もオーガニックで環境が良いので会場として選ばれてしまいました。

イギリスの元首相で「鉄の女」と呼ばれたサッチャーさんの出身地リンカンシャーは、キャベツ栽培や食品加工が主要産業の農村地帯です。なんと、この地域でもスウィンギングが大人気なのです。

コロナの規制撤廃後に企画されたスウィンガーのフェスティバルでは、カップル用のチケットが四万五〇〇〇円と高額にもかかわらず飛ぶように完売。参加者には直前まで開催場所は知らされず、スウィンガー用ＳＮＳでプロフィールの厳重なチェックがあり、参加直前にコロナの抗原検査を実施し感染対策を徹底しての開催でした。

イベントはクレー射撃、水に濡れたTシャツ着こなしコンテスト、大人向けのバウンシーキャッスル、いわゆる空気を入れて膨らませた〝お城〟も提供されるなどフェスティバル色の強い楽しげなものでした。

開催地からはイベントの騒音に関する苦情がありましたが、スウィンギング自体に対してはかなり寛容でした。このことからも、イギリスの地方自治体がこのようなイベントに比較的オープンなのだとわかります。おおらかな国民性だからでしょう。

スウィンギングの大盛況を受け、お店を改装し「スウィンガー様御一行」を大歓迎するビジネスも増えています。たとえばリバプールのビルケンヘッドというところにある「Townhouse Swingers」は、二万人あまりだったメンバーが、コロナ規制撤廃後には五〇パーセント増で毎日予約がソールドアウトしてしまう大盛況ぶりです。

ロックダウンの最中には政府からの補助金を受けるのが難しく存続の危機にありましたが、規制が緩和されるとお客さんがどっと押し寄せ夫婦交換を楽しんでいるカップルが大勢いるのです。

なおこのクラブを利用するにはワクチンを二回接種するのが義務です。来場前にはコロナの抗原検査も必須。そんな入場規制があっても来場したいという方が大勢いて、イギリスにおけるスワッピング人気を裏づける証拠といえましょう。

さらにこのようなスウィンガー人気は北部にとどまらず南部のお金持ちがリゾートに出かける場でもヒートアップ。デヴォン州トーキーにある「Renamed Within Temptation」というパブは、外側は田舎の伝統的な店ですが五〇〇〇万円をかけて改装しました。

コロナの規制緩和後にボンデージのグッズや部屋を備えたスウィンガー大歓迎のセックスクラブとして開店。今や数百キロ離れたところからもお客さんが押し寄せる大人気の社交場となっています。プレイルームは三〇人収容可能で折檻の機器も備え付けられ、プールやダンスホールも完備しています。

イギリス人、ロックダウン中にエロサイトを観て楽しく過ごす

ロックダウンの最中には世界各地でストリーミングサービスやオンラインコンテンツ

の人気がたいへん高くなりました。アダルトコンテンツの世界も大盛況。なかでもイギリスでは日本以上にストリーミングサービスが大人気です。

二〇二一年六月、イギリスの通信庁「Ofcom」は初めてオンラインのアダルトコンテンツに関する調査を実施。その「Online Nation 2021」という報告書ではコロナ禍でロックダウン中、イギリスの成人ネットユーザーの半分となる二六〇〇万人がアダルトサイトを観ていたという結果が出ています。

二〇二〇年九月からイギリスのネットユーザーにもっとも観られていたポルノ配信サイトの「Pornhub」は、なんと一六〇〇万人ものユーザーが訪問しており、「Sky One」、「ITV4」、「BBC News」といった主要ニュースサイトよりもはるかに人気でした。年齢が若くなるほどアダルトサイトは盛況で、サイトを訪問した人全体の三分の一は女性です。

さらにロックダウンの最中に大人気となったのが、一般ユーザーがリアルタイムでアダルトコンテンツを配信できるイギリスのサイト「OnlyFans」です。

二〇二〇年一一月にはユーザー数が前年比で六五〇パーセント増加、コンテンツ配信者は三四万八〇〇〇人から一六〇万人に増え購読者は一三〇〇万人から八二〇〇万人、一八七カ国に及びます。主なユーザーは男性で月に五〇〇円から二〇〇〇円ほどの定額利用が主流、チップを払うとクリエイターからプライベートな写真や動画が届き直接やりとりができます。

このサイトはアダルトビデオ企業などを介さずに、素人が自分で制作したポルノ動画やライブを配信。ユーザーが支払う費用の八〇パーセントが発信者に入り、「YouTube」のように検閲がないので自由なコンテンツを配信できるのでたいへんな人気です。

動画配信を本業にして巨額の富を得る人々も出てきており、イギリスのセクシー女優ダニー・ハーウッドさんは、なんと一億五〇〇〇万円を稼いだそうです。彼女はウェールズの労働者階級の家庭出身で、父親は工場作業員、母親はスーパーの店員でした。ダンスがうまかった彼女は、ロンドンの有名なダンススクールに進学します。

意外にも欧州で好評なアダルトサイトはイギリス発

とはいえ芸能界の競争は激しく、ハーウッドさんは思うような仕事が得られなかったのでスポーツ新聞の「The Daily Sport」でトップレスのセクシーモデルとしてデビュー。「PlayBoy」やイギリスのオンラインアダルトコンテンツで働いたあと、「OnlyFans」の開設と同時にクリエイターとして参加しました。

イギリスでは「OnlyFans」が登場する以前にもウェブカメラを使用したさまざまなサービスがありました。セクシー女優が購読者に話しかける「Playboy」や「Babestation」といった専門チャンネルもかなりの人気です。「OnlyFans」が一気に広まったのは、スマートフォンで気軽に投稿できるのと、チップでユーザーとより濃密な交流が可能だからでしょう。

ハーウッドさんは「ユーザーはスポーツ新聞やSNSですでに知っている有名人と直接交流できることを期待しており、バーチャルなガールフレンドとして個人的な感じがする交流を期待しているのよ」と言います。ハーウッドさんのようにプロだけではなく、コロナで失業した人や給料が思うように伸びない人も多額の収入を得ています。

「Pornhub」「OnlyFans」「Twitter」向けにポルノコンテンツを作成して配信しているのが、二二歳のテーザ・ウイリアムさんです。「OnlyFans」では五〇〇人の購読者がおり、一人あたり八ポンドから一〇ポンド（一一〇〇円から一五〇〇円）を支払います。

彼の周りではロックダウン中「ポルノを観たことがない人はいない」ようで意外かもしれませんが、このサイトは政治的主張をしたい人にもチャンスを与えています。

オーストラリアに住むビーガンで活動家であるターシ・ピーターソンさんは「Only Fans」で半裸の姿などセクシーな動画を配信して月に三二三万円ほどを稼いでいます。その収入で地元にあるブランド品の店で動物の保護について訴える活動なども展開しています。

この話のおもしろいところは、ハーウッドさんのようなトップクリエイターでもユーザーに人気なのは単なるハードなセクシーコンテンツではなく、お客さんと「ボーイフレンド」「ガールフレンド」のような交流をすることだということです。

ハーウッドさんは、購読者の要求に応える写真を送ることも大事だが、誕生日をお祝いしたり、ペットや子どもの名前を聞いて個人的に交流したりという「擬似的なガールフレンド」活動も重要だと述べています。

ゲイ向けのコンテンツを提供するマシュー・キャンプさんは元々ゲイクラブシーンで

活躍していました。コロナ禍でクラブが閉鎖されたので「OnlyFans」で活動し、セクシーなコンテンツを投稿しなくても月に一〇〇万円以上を稼ぎます。購読者はまさに擬似的なボーイフレンドと交流することを求めているようです。

「OnlyFans」のようなサイトがイギリス発だとは意外だったでしょうか。

この事実は、ロックダウン中にアダルトコンテンツを熱心に観たり、発信者とのささやかな交流に楽しみをみつけたりするなど、イギリス人の一見クールな側面とは別の顔をみせています。

アメリカと欧州では日本人に偽装したアジア人風俗嬢が大人気

日本の人々があまり知らない事実のひとつにアメリカや欧州北部では「アジアンマッサージ」が数多く存在していることがあります。これはアジア系の風俗嬢が提供する売春サービスのことで、海外に日本のような風俗は存在しないと言う人もいますが、いわゆる日本でいうところの本番も含む売春サービスは海外にもあるのです。

もっとも人気があるのが「アジアンマッサージ」です。アメリカや欧州北部の都市では、田舎のほうでも地元のローカル新聞やチラシに「マッサージパーラー」「アジアンマッサージ」「エスコートサービス」の広告が出ています。

インターネットでも検索可能です。これは要するに、マッサージサービスに偽装した売春やデリヘルのことです。そこに電話をすると東アジア系のお姉さんがサービスをしてくれるのです。とはいえ一応は規制があるので風俗とは書いてありません。あくまでも「マッサージパーラー」「セクシーマッサージ」とか「シークレットマッサージ」という名前になっています。

オランダは「飾り窓」で堂々と風俗をやっていることで有名ですが、それはあくまで「見られるとよくないものを特定地域に隔離し透明性を高くしてやっておこう」という話で全土にあるわけではありません。オランダほどのオープンさはないものの、アメリカやイギリス、イタリアやドイツにもこういうところがあるのです。

ちなみに「マッサージパーラー」はアメリカでは巨大な産業で「IBIS World」の調査によると、アメリカには約二八万件のマッサージビジネスが存在し、そのうち九〇〇〇件は「その方面のサービス」という推測になっています。

二〇一四年にアメリカ政府が予算を投じて作成された「アーバンインスティテュート」(アメリカの主なシンクタンクの一つ)の報告書「Estimating the Size and Structure of the Underground Commercial Sex Economy in Eight Major US Cities」によると、アメリカの主要八都市すべてに非合法な風俗があり、その総売上高は三九〇〇万ドルから二億九〇〇〇万ドルとかなり大規模です。

「マッサージパーラー」の多くは郊外にあり、従業員は中国か韓国、ベトナムもしくは南米系の女性が多く、人身売買でアメリカに連れてこられ、職場が住居を提供します。普通のマッサージだけだとお客は一時間に最低六〇ドルを支払い、そのうち五〇ドルを店が取得、従業員の取り分は一〇ドルで一日に十数人のお客を相手にする場合は一二〇ドルから一四〇ドル稼ぐのが典型です。

「セクシーサービス」を追加で提供する場合は、お客が一回一〇〇ドル程度のチップを払いますが、この場合はチップのすべてを従業員が手にします。

そういう店で働いている女性は東アジア系の方です。名前がユキ、スキ、キャンディ、ミルキー、プリンセス、ワカなど、日本人のような名前やメルヘンチックな名前が多い。サービスをしてくれる方が日本人というわけではなく、その他の東アジア系の方が多いのですが、日本人の名前にしておくとマーケティング的に有利らしいのです。

サービスをする女性が着用している服で人気のものは、サテン地でできていて金銀ギラギラ、ドラゴンなどが刺繍してある「KIMONO」と呼ばれるガウン。新日本プロレスのレスラーが着用しそうな派手さで、浅草の土産売り場でみかけたような柄。外国人の方はこういう「KIMONO」が大好きで、「KIMONO」=「アジアンマッサージ」を連想する人も多いようです。

実は売春が大好きなフィンランド人

日本人は、北欧諸国にクリーンなイメージを抱いている人が多いようです。とはいえ人間はどこでも同じ。フィンランド人も日本人と同じく性風俗が大好きなのです。

たとえば二〇一九年に三名のフィンランド人がスペインで逮捕された事件。なんと二〇一〇年から売春の手配師業をしており、九年あまりの間に四〇〇〇億ユーロ（約五一億円）もの大金を稼ぎ出し、そのほとんどをマネーロンダリングしていたのです。

欧州警察組織の「ユーロポール」が一二カ国を対象として行った大規模な調査で、この三名はスペインに滞在しながら「sihteeriopisto.net」というＷｅｂサイト経由で、フィンランドとスウェーデンで売春の仲介をしていたことがわかりました。

しかも驚くことに、このサイトは逮捕直前まで公開されていたのです。女性の大半はナイジェリアなどのアフリカ諸国からフィンランドやスウェーデンに斡旋されていました。フィンランドで売春自体は合法ですが、手配や斡旋（あっせん）は違法です。

ナイジェリアなどアフリカ諸国から多くの女性を連れてきていたことから、フィンランドとスウェーデンのお客さんはアフリカの女性が好みだとわかります。多様性を重要視するので、求める異性も外国人というのがいかにも北欧的です。

さらにフィンランドではアメリカやイギリスのような「マッサージパーラー」も大人気です。ニュースサイト「Yle」の調査によると、フィンランド全土にはタイ人が勤務するマッサージパーラーがあり、その多くは普通のマッサージではなくスペシャルサービスを提供しているとのことです。

アメリカ国務省が発表した「Trafficking in Persons Report 2012」によれば、フィンランドのほぼすべての街に人身売買で連れてこられた女性や男性がおり、風俗産業や家政婦、単純労働者として働かされているとの報告があります。フィンランドの人身売買は国連やアメリカ政府も認識しているのです。

これらのサービスに関してフィンランド内務省は二〇一〇年、報告書を発表しました。ところがその後、政府からのアクションは特になく、フィンランド社会でもタイ女性の状況や人身売買で入国している人もいたことには関心が低いのが現状です。

「Pro-tukipiste」のように風俗産業で働く女性の権利について活動している非営利団体のなかには問題に関心を抱くところもありますが、なぜか女性の権利や人権に関して活動している団体の多くが風俗産業における外国人女性の待遇や人権には黙秘しています。

フィンランドでも「パパ活」が大人気

日本と同じようにフィンランドでも「パパ活」は大人気です。「Yle」はこの実態を調査するために「Sugardaters」と「Richmeetbeautiful」の二つの主要なパパ活サイトに二三歳の女性として登録し反応してくれるパパを探しました。

登録直後から犯罪歴がある人、大統領から名誉のある称号をもらったビジネスパーソンなどさまざまな人から連絡がありました。同紙がインタビューしたユーザーには一カ月で一二〇〇ユーロ（約一五万円）のお手当を稼ぎ出す人、一七歳からこのサイトでバイトをする人もいたそうです。

欧州のパパ活はフィンランドに限ったことではなく、ここ一〇年ほどヨーロッパ全土で流行しています。そのなかでもデンマークに本社がある大手の「Sugardaters」には、二〇一五年の時点でデンマークのユーザーが四万五〇〇〇人もいたのです。

おもしろいことにデンマークをはじめヨーロッパのさまざまな国では、未成年者と性的な関係をもつことや売春などが違法にもかかわらず援助交際のサイトが堂々と存在しています。大手メディアでも報道されており、サイト閉鎖もなく普通の出会い系のように運営されているのです。

「Sugardaters」でユーザーが募集できるのは「パパ」だけではありません。援交してくれるママ、お兄さんなど、ありとあらゆる「支援相手」とバイト希望者を結びつけています。多国籍展開なので欧州各国にユーザーが存在。主なユーザーは若い女性と中年以上の男性なのですが、なかには中高年女性で「パパ」を探している人もいるのです。

これは金銭目的ではなく「自分に自信を持ちたい」からです。子持ちの四〇代から五〇代の女性がかなりセクシーな写真を投稿しパパを探す。そのなかには六〇キロ減量した四〇代の女性や、体重が一五〇キロを超えていると思われる女性もいる。イギリス人の彼女たちは二〇一五年に「Sugardaters」の公式カレンダーに登場しています。

イギリスでも二〇一〇年代から「パパ活サイト」は大人気でした。大手のひとつ、「Seeking Arrangement」は登録者の半分以上が大学生です。

政府が補助金をカットして大学の学費が年に一五〇万円近くになったうえに、リーマンショック後、家計が苦しい人たちが増えたことが背景にあるようです。バイトの代わりに資金援助してくれる「パパ」を探す人々であふれています。

エンジニアの四七歳になる父親と住む二五歳で大学生のロイスさんはなんとある日、お父さんが自宅のラップトップで「Sugardaters」を見ており、自分の同級生とメッセージをやり取りして援交していることを発見し、たいへん驚いたようです。

イギリス警察、刑務所内で大麻の提供を検討

さらに日本人があまり知らないことのひとつに、ヨーロッパでは麻薬に対して大胆な政策がとられていることがあります。オランダの「飾り窓」のことは知っている方も多いのですが、それ以外の国でもかなり大がかりなことをやっているのです。

その理由は、ヨーロッパは日本と比較にならないほど麻薬汚染がひどく、日本のような水際対策や厳しい取り締まりが機能していないから。麻薬を撲滅するよりも中毒の人をどう治療するか、どうしたらこれ以上悪化させないかが重要視されているのです。

たとえばヨーロッパでもっとも麻薬の流通量が多いイギリスでは受刑者の麻薬使用が

大きな問題です。また北ウェールズ警察ではなんと受刑者に大麻を提供することを検討しています。受刑者が「スパイス」などの非合法ドラッグを刑務所内で入手して使用し、死亡したり暴力行為に走ったりすることがある。そのため、先にもっと安全な大麻を与えて受刑者を落ち着かせ、状況を改善するという大胆なやり方です。

受刑者の五二パーセントは刑務所内で違法ドラッグの入手が簡単だと答えています。非合法ドラッグを使う前に刑務所のセキュリティをどうにかするべきではと思うでしょう。ところが受刑者があまりにも多く、刑務所も予算が限られているのでどうにもならないのです。

麻薬問題を長年抱えているイギリスでは中毒者を犯罪者として扱うのではなく、治療を提供し、中毒になることや使用を非犯罪化するリベラルな政策を進めてきました。たとえばヘロイン中毒者は「病気の人」として扱われ、政府に認定されると医療従事者から処方箋を受け取り、純度が高く正式に提供されるヘロインを薬局で入手することが可能です。ロンドンでは、この薬局のひとつがオクスフォードサーカス、日本でいうと、渋谷の繁華街にある「Boots」という薬局の大型店舗です。

このリベラルな方策をスタートさせたのは北部のウォーリントンという街の精神科医ジョン・マークスさんです。一九八〇年代に患者に対して純度の高いヘロインを提供し、ブラックマーケットや売人から入手できないようにしました。

すると患者の多くは子どもや家族と過ごすようになり、仕事をして普通の生活を送るようになります。そのうちマークスさんが住む周辺の犯罪率が低くなり、イギリス全土を驚かせます。このモデルはヨーロッパの他の国でも実施され、一九九四年にはスイスのチューリッヒで「ヘロイン支援治療クリニック」が開設されました。

ところがやがてマークスさんのアプローチに興味を示さなくなったイギリス政府は予算をカットし、イギリスのクリニックは閉鎖を余儀なくされました。

一九九〇年からキャリアの半分以上を麻薬取引組織への潜入捜査に費やしてきた元警官のニール・ウッズさんは「アルジャジーラ」の二〇二一年三月のインタビューに対して「リベラルなアプローチは成功するし麻薬の使用に関して法律を厳しくすればするほど死者が増える」と述べています。

ポルトガルやスイスのように麻薬使用の法律が厳しくない国は死者が減っており、特にスイスは一九九〇年代から半減しているのに、イギリスは激増しているのです。

イギリス政府が麻薬中毒患者の治療センターの予算をカットし、クリニックを次々と閉鎖している一方で、政府内や自治体にはリベラルなアプローチを支援する人が徐々に増えており、自治体では麻薬中毒患者の治療を再開させているところもあります。

たとえばミドルズブラでは外務省の支援のもと、ドラッグを提供するクリニックが再開されました。患者は生活の質が向上したと喜んでいます。さらにスコットランドのグラスゴーでは厳密には法律違反になるのですが、一九九〇年代に麻薬中毒患者だったピーター・クレカントさんが、クラウドファンディングと私費を投じてトラックを購入し、「モバイルドラッグ消費部屋」の提供を開始しました。

中毒患者は安全な環境で清潔な注射器などを用い、トラックを治療に使っています。これは中毒から回復したあとにＨＩＶの支援団体で勤務していたクレカントさんの指摘があったからです。彼は「ホームレスなどの中毒患者は九〇年代の自分とまったく同じように路上で麻薬を使用し、注射器の使い回しなどでＨＩＶの感染症になることやオーバードースの危険性がある」と現状を危惧したのです。

コロナでロックダウン中のイギリスの麻薬死は史上最高

もともと麻薬が蔓延しているイギリスで新型コロナウイルスの感染拡大はさらに追い打ちをかけました。コロナ禍で暇を持て余した人々が麻薬に向かってしまったのです。

イギリス統計局ONSによれば、二〇二〇年にイギリスでは麻薬が原因で死亡した人は四五六一名に及び、これは一九九三年の記録開始から最高となっています。二〇一九年と比較しても三・八パーセントの増加です。

そのうち三分の二の死亡原因は「ドラッグのまちがった使い方」によるもので、約半数はモルヒネによる死亡で二〇一九年に比べて四・八ポイント増加し、さらに二〇一〇年に比べ四八・二パーセント増えている。七七七名はコカインによる死亡で、二〇一九年に比べて九・七ポイント増加し、二〇一〇年に比べ五倍増です。なお死亡者の七九パーセントは男性でした。

イギリスだけではなくヨーロッパではここ一〇年、ドラッグによる死亡者が急増しています。二〇二〇年に実施されたイギリスの統計局と国家犯罪庁の調査によると、一六歳から五九歳で生涯のうち一度でもコカインの使用経験があるイギリス人は一〇・六パーセントもいます。一九九五年には三パーセントだったので大幅に増えています。二〇一九年から二〇二〇年には、一六歳から五九歳のうち八七万人がコカインを使用しています。「Euro2020」が開催されたウェンブリースタジアムの決勝大会では会場だけでなく移動中の電車の座席などでもコカインを使用する観客が多数目撃され、サッカーでもコカインの使用は広がっているとＢＢＣが報じています。

コカインの流通量は年間で一一七トン。二〇一一年から急増しました。ＥＵの「European Drug Report 2020」によれば、ヘロインとモルヒネの新規ユーザーは減少。イギリス統計局は、死亡者の多くは長期ユーザーで大量取得やその他のドラッグと掛け合わせて使用したことにより死亡した可能性が高いと指摘しています。

また興味深いのはＥＵ各国でのドラッグによる死亡者数です。豊かな国ほど四〇代以上の死亡が多く、もっとも多い国では六〇パーセントを超えている。そういった国では末端価格の高いコカインや化学合成された違法ドラッグが大人気です。

経済的に豊かで長期的にドラッグを使用している人たちの死亡が増えている一方で、

東欧の経済的に厳しい国では若年層の死亡者が多くなっているのです。

さらにコロナ禍による人手不足も、ヨーロッパのドラッグ事情に大きな影響を及ぼしました。

イギリスは２０２１年の夏から秋にかけてコロナ感染で自宅待機や入院せざるを得ないトラック運転手が増え、輸送に支障が出ています。そのため国内のＭＤＭＡをはじめコカインなどが輸送できず、国内の愛好者がプチパニックにおちいっているのです。

ＭＤＭＡは製造元の多くがオランダです。コロナ禍で多くのクラブやフェスティバルが開催されないために販売先がなく、製造再開はビジネスとしてうまみがないため供給量が減少しています。このように供給が滞っているため、イギリスでは偽のＭＤＭＡが出回っているほどです。

第9章　世界の「エンタメ事情」を日本人は何も知らない

コンテンツが多様化した理由と世界の変化

ここ一〇年ほどの間に世界のエンタメ業界でもっとも話題になっていることは政治的正しさ、つまり英語で言うと「ポリティカル・コレクトネス」、略してポリコレを既存のコンテンツにどのように反映させていくかということです。

これはどういうことかというと、映画やドラマ、漫画とか音楽などのコンテンツのなかで一〇代男性や主流派の白人などが中心だった作品に、女性やＬＧＢＴ、さらには人種的少数派などの多様な人々を登場させて、世の中に社会の多様性を認知させていくべきという考え方です。

この考え方は私が学生だった二〇年以上前にも何度か出てきていました。その発端はアメリカです。当時のアメリカでは主要なテレビドラマは白人のＷＡＳＰ、いわゆる「White, Angro-Saxon, Protestant」の略であり、「アングロサクソン系の白人でプロテスタント教徒」の俳優やキャラクターが中心でした。

『スタートレック』などのごく一部のドラマを除いては、東アジア人や黒人が主人公になるという作品は少なかったのです。それどころか中心になるキャラクターが白人なのはもとより、運動が得意で家が金持ち、髪の毛は金髪、といういわゆる白人の中でも勝ち組のリア充の人々ばかりでした。

たとえば当時、同級生の間で流行っていた『セックス・アンド・ザ・シティ』はアラフォーの女性がそれぞれ違った自分の恋愛や性生活について、ケーブルテレビで流されるドラマであけすけに語るという話でした。当時としては「女性の解放」「二一世紀の強い女性を象徴している」などと騒がれていました。

ところが主人公の女性たちは全員白人でニューヨークの家賃が高い高級住宅街で暮らしていて、広告代理店や弁護士、主要新聞のコラムニストなど、はっきりいって日本のバブル期のトレンディドラマも真っ青な職業に従事。彼氏もこれまた全員白人かユダヤ人で全員が金持ち。服装はデザイナーズブランドのものを毎回着替えるという、バブル期のトレンディー俳優も逃げ出すような薄い内容のドラマでした。

とはいえ当時のアメリカでは、このレベルでも多様性があって画期的であると社会的に評価されていたのです。その少し前に放送されていた『ビバリーヒルズ青春白書』や

『フレンズ』もしかり。超金持ち白人たちの生活を延々と描いたもので、登場する主要人物はほとんどが白人です。

当時のアメリカは白人が減少する一方でヒスパニック系やアフリカ系が増えていた。すでに東アジア系はもっとも裕福で学歴も高い人種でしたが、そういう人々がまったく主要テレビ局のドラマに登場しませんでした。つまり現実を完全に無視していたのです。

コンテンツのリメイクや新たなシリーズづくり

一九六〇年代から七〇年代にはSFドラマの『スタートレック』のように、人々の社会的な意識を変えるためキャラクターに多様性をもたせて、ロシア人や日系人、アフリカ系を主要キャラにするというドラマも存在していたのですが、なぜかだんだんと下火になってしまいました。

そんな背景があったため、二〇〇〇年前後に一〇代から二〇代だった人々が社会に出てコンテンツを創りはじめると、自分たちが若いとき足りないと疑問に思っていた多様性を映画やドラマへ反映するようになってきます。

これが盛んになったのが二〇〇〇年以降です。注目すべきなのは二〇〇〇年を境に、アメリカだけではなくヨーロッパでも不動産や株式など不労所得で富を得る人が急増し、ＩＴ産業や金融で富を築く人が増えていったことです。

同じようなことは保守的なドイツや北欧でも顕著でした。このような知識産業の世界は弱肉強食で頭がものをいう世界です。従来のようにコネがある人や人種的な主流層でなくても富を得られるようになってきたのです。

彼らは世界中さまざまなところで仕事を選べるようになったので、より富が得られる可能性のある欧米に移動する人々が増えていきました。

とりわけヨーロッパの場合は二〇〇〇年以後、ＥＵ圏内の居住と労働の自由がＥＵ市民権を持つ人に認められたので、南部や東欧からイギリスやドイツ、北欧、オランダなど北部の豊かな国に移動する人が急増しました。

イギリスの場合はそのピークが二〇一二年です。それまではありえなかった規模の人の移動が起きました。さらに新興国の人々もグローバル化により生産拠点が自国に移動することなどで富を得るようになったので、豊かになった人々が欧米に移動し、人の多様性がグンとアップしたのです。

多様化した人々の趣味嗜好に合うように、コンテンツ業界もマーケティングを変えはじめました。そこで従来のようなストーリーづくりやキャラクターではなく、より多様性があるコンテンツを求めはじめるようになりました。

そんな状況下、インドや中国が経済的に豊かになってきました。そういった地域にもコンテンツを売りさばくため、アメリカだけではなくヨーロッパのコンテンツ制作者は東アジア系のキャラクターや南アジア系、中東系のキャラクターを着々と増やしていくようになったのです。

新しいコンテンツは失敗することも多い。そこでハリウッドだけではなく、さまざまな国で手を出しはじめたのがコンテンツのリメイクや新たなシリーズづくりです。さらにはアメリカのみならずヨーロッパも少子高齢化が進んでいるところが多い。経済的に豊かで消費力があり、暇を持て余している団塊ジュニアが中年になり、彼らが好むような作品をリメイクすることが増えてきたのです。

ところが、そこで何が起こったかというと多様性やポリコレの行き過ぎであります。アメリカだけでなくイギリスも、いったん何かが始まるとやりすぎてしまう傾向がある。日本の場合はかなり慎重なので徐々に物事を進めていきますが、アメリカやイギリスは方向性が決まると、すぐにそちらのほうへと爆走してしまう。それがコンテンツ業界で起きてしまったのです。

Woke文化推進の学校に親が抗議し子どもを退学させる

コンテンツの世界では「政治的正しさ＝ポリコレ」が猛威を振るっているわけですが、一方で現実社会ではそれに反対する保護者や大人がたくさんいるのも事実です。

たとえばアメリカでは、学校で白人が過去に犯した罪について教えたり、作文や文学作品に出てくる単語をジェンダーニュートラルな単語に置き換えたりします。さらに現代の感覚では差別的と考えられる文学作品や芸術作品を図書館から撤去する動きが目立っている。ところが、それに対して異議を唱える保護者がでてきています。

アメリカのニューイングランドでは子どもを私立に通わせる父兄が「Parents United」という団体を設立。私学連盟に対し、学校で白人が過去に犯罪として教えた歴史を見直す「クリティカルレースセオリー」を教えるべきではないと抗議しています。

オハイオ州では学費が年に三五〇万円を超える私立校「Columbus Academy」で「Woke文化」(「社会的正義や人種差別に対して覚醒した目を向け、行動すること」)を推進。これが子どもの自尊心を傷つけ、人種による分断を煽ることは児童虐待であり教育ではないと激怒した親が、子どもを退学させる騒ぎになりました。

アメリカではこのようにコンテンツ業界におけるポリコレだけではなく、教育現場で「Woke文化」やクリティカルレースセオリーに反対する親が出てきているのですが、イギリスの場合はここに宗教的な問題が絡んできます。

最近話題になったのが、西ヨークシャーにある公立校の「Batley Grammar School」で二九歳の教員が宗教の授業で、例としてフランスの政治風刺雑誌「シャルリー・エブド」に掲載されたモハメッドの風刺画を使用。すると生徒の保護者から大規模な抗議運動が起こり、学校の周囲を連日抗議者が取り囲んで警官隊が出動する騒ぎになりました。

その後、この教員は抗議運動のために出勤できない状態で身を隠していた。彼は授業では、あくまでも批評や時事問題の題材として風刺画を提示しただけなのに保護者から過激な批判を浴びてしまった。驚くべきことに、教員の両親も身の危険のため自宅には滞在できず、安全保護のために警察の訪問を受けているのです。

イギリス政府は学校と教師の表現の自由を保証し、このような抗議運動は許されないと断言。ところが社会全体で「Woke」やポリコレを推進する一方で、批評の題材として教材を提示した教員の生命が侵される状態になってしまうのが欧米の現実です。

とはいえ多様性尊重のために、警察や政府がこのような教員に対して抗議運動をした人々を隔離したり刑罰を科したりすることができません。表現の自由があるために何もできないのです。

バングラデシュが『ドラえもん』の放送を禁止

このような感覚の違いは日本にとっても遠い話ではないのです。驚くべきことに、この宗教観の違いはアニメや子ども向けのコンテンツにも大きな影響を及ぼします。

たとえばインドとバングラデシュでも放送されており、大人気の『ドラえもん』ですが、なんとバングラデシュではヒンディー語の吹替版が放送されています。ところが、子どもたちがベンガル語のかわりにヒンディー語が流暢になってしまうのが問題視され放送が禁止されてしまったのです。

内容には問題がないのですが、両地域の政治関係が日本のコンテンツの放送にまで影響を及ぼしてしまいました。このように世界には日本人が想定しないような根の深い宗教的リスクや政治問題が存在しているのです。

たとえば日本では子どもにふつうに観させているスタジオジブリのアニメ。これが国や地域によっては宗教的な理由や歴史的な理由で拒否されたり内容を完全に否定されたりすることがあります。

『となりのトトロ』や『千と千尋の神隠し』は海外の配信サイトでも放送されているしＤＶＤもたくさん出回っているのですが、宗教心が強い地域や一定の神しか信じない地域では両作品のコンセプト自体が完全に否定されてしまう。子どもたちに観させようとすると親から止められてしまうことがあるのです。

どちらの作品も登場するキャラクターが日本の土着信仰を見出している部分があり、トトロには「異宗教の神だ」「偶像崇拝に当たる」と頭ごなしに拒否されてしまうことがあります。作品の中に出てくるお地蔵さんやお寺に距離感を示す人々もいます。

また『千と千尋の神隠し』に登場する妖怪も、ほかの文化圏では宗教的な意味合いを思い起こさせるために、やはり拒否する人々がいるのです。これは日本人にはまったく想像がつかないことでしょう。

なにも途上国だけに限ったことではありません。先進国でもかなり原理主義に近い宗教観をもった地域でも同じなのです。

アメリカ南部の奥地に住む原理主義的なキリスト教を信仰している人々は、学校教育で進化論を否定するので、進化論を肯定するようなアニメやドラマは真っ向から拒否。異なる文化の勉強のためとか、違う考え方もあると話しても無駄です。

ヘタをすると「われわれのことを侮辱するのか」といわれて銃撃されてしまう可能性もある。こういった人々のなかには公衆衛生の考え方を拒否することもあり、最近では新型コロナウイルスのワクチン接種を拒む人々もいる。病気になってもヒーリングや民間療法で治そうとするので、死亡してしまうこともあります。

BLMのデモが起きた町は殺人率が増加

このようにコンテンツ業界や教育現場で多様性や「Woke」、あるいはポリコレが推進される一方で、欧米ではなぜか有名人の児童虐待や倫理的に許されないことがあまり追及されていません。

たとえば最近の例ではフランスの哲学者であるミシェル・フーコーの友人が衝撃的な告白をしています。フーコーはチュニジアを訪問した際に、地元の子どもたちと性的な関係を結んだうえに、一九七七年にはフランスで未成年との性交を合法化する嘆願書に署名していたのです。

ミシェル・フーコーは近年のポリティカル・コレクトネスや差別反対運動に大きな影響を及ぼしてきた学者だけに、この友人の告白は大きな衝撃を呼びました。

ところが、なぜかフランスをはじめ欧米でも、この事件は三面記事的な扱いでした。ブラックライブズマター（ＢＬＭ）の報道よりもはるかに小さかったのです。有名人で左翼運動に絡んできた人の犯罪は目をつぶるという「多様性重視」の世界の本音と建前が出てしまったのでしょう。

このように欧米では多様性やポリコレを推進するリベラルと保守系の間で衝突が少なくないのです。それもそのはず、多様性やポリコレを重視する地域では必ずしも治安がよいわけではなく、社会が安定するわけがありません。

マサチューセッツ大学の経済学者による論文では、ＢＬＭのデモが起きた地域の警官の殺人率は一五〜二〇パーセント低下しているが、殺人はなんと一〇パーセント以上も増加しているという衝撃的な結果が発表されました。リベラルな政党が支配する地域はデモを推奨していますが、警官の配属数が減るため殺人を含む犯罪の増加が抑えられなくなっているのです。

またデモは暴徒化する場合が少なくなく、地元の商店をはじめ一般住宅までが襲われ手がつけられない状態になっています。多様性や発言の自由を野放しにしたことで、このような結果になってしまったのでしょう。

アメリカのコミック売上トップ20はすべて日本の漫画

ポリコレや多様性の影響はアカデミー賞にも出てきているのですが、最近はそれに外交問題まで絡んでしまっています。

たとえば二〇二一年のアカデミー賞授賞式で、中国人監督であるクロエ・ジャオ氏の『ノマドランド』が作品賞と監督賞を受賞しました。スピーチで「中国は嘘だらけ」と発言した監督を中国政府は無視し、受賞の様子は中国で放映されませんでした。

アメリカの過酷な資本主義を批判した『ノマドランド』は、中国にとってアメリカを攻撃する格好の材料なのに、自国民の受賞を受け入れないのは中国にとっての敗北だと映ったことでしょう。さらに驚くべきことは、この件も欧米ではそれほど大きくは取り上げられず今や忘れ去られたニュースとなったことです。

どの国も中国に忖度しすぎて作品の批評や作品をめぐる政治問題など、社会の動きの考察さえもまともにしなくなっているのです。

近年、アメリカのコンテンツ優位性や人気はどんどん凋落（ちょうらく）しています。

たとえばアメリカのコミック専門家であるエリック・ジュライさんは「YouTube」の動画「Manga is dominating American comics」で次のように語りました。

「現在アメリカのコミックの売上トップ20はすべて日本の漫画で、アメコミがひとつもない」

その理由が、アメリカのコンテンツ制作能力はどんどん低下しており、魅力がないし産業自体が消滅しそうな状況だからというのです。さらにジュライさんは、アメリカの出版社や作者はポリコレや政治問題に関心の高い読者に配慮しすぎているため、内容におもしろみがなく読者離れが進んでいると指摘しています。

売れている日本の「ＭＡＮＧＡ」は西洋人に見慣れないデザインやストーリーであり、日本的なコミックである『鬼滅の刃』も大変な人気があると述べています。

さらにジュライさんは、「日本的だからこそ良いのだよ。すごくおもしろい。アメリカ人からは出てこない想像力だし独自だよ。アメリカのコミックはゴミなんだよ、ゴミ！　ひどいんだ。出版社も作者も自分らが問題だと認めてないんだ。コミックは物理的な紙の本を収集することも読者の楽しみだが、あまりにも左翼的な内容ばかりが増えてコミックを買わないファンが増えているんだぜ」と話しています。

アニメをほぼリアルタイムで観ている海外のファン

この「世界のニュース」シリーズの前作でもご紹介したように、世界でもっとも人気のあるコンテンツの上位を占めるのは日本のものばかりです。アニメの世界では日本が世界を支配しているのです。しかし各国のケーブルテレビや地上波で放送されているアニメは数が少なく、子ども用チャンネルやアニメチャンネルなどごく一部での放送にすぎません。

では、いったい何の媒体でアニメを観ているのか――。

それは、世界中の子どもや大人も配信サイトで日本のアニメを観ているのです。当初は非合法なものが多かったのですが、現在ではサブスクのサービスが大人気になっています。日本の場合はサブスクサービスというと「Netflix」や「Amazon Prime」を想像されるかもしれませんが、アニメの世界ではそうではありません。

最近人気なのは、二〇〇六年に立ち上がった「Crunchyroll」です。もともとアメリカで始まったこのサイトは当初海賊版のアニメにファンが字幕を付けていたのですが、日本のテレビ局と提携しコンテンツを合法的に提供してもらうことに成功します。二〇一二年には有料会員が一〇万人を突破し、二〇二一年には四〇〇万人に到達しました。登録者数は一億人を超えています。

このサイトは無料会員としてアニメを大量に観ることができます。日本語のオリジナル音声で字幕が付いている作品が多く、二二〇ヵ国以上にいるユーザーの多くが日本語でアニメを観ることを希望していることがよくわかります。

有料会員になると「Apple TV」などのアプリを使ってテレビの大画面で観ることが簡単になります。広告を取り除くことも可能になり、なんと作品によっては日本で放送された一時間後にはアニメを観ることができるのです。

とにかく早く日本の最新アニメを鑑賞したいというファンの強い熱意を感じますね。

同サイトで人気の作品も非常に興味深いです。忍者や伝統的な歴史ものなど日本色の濃い作品がランキングの上位を占めています。

海外でテレビ放映されるアニメには日本製がズラリ

『鬼滅の刃』『進撃の巨人』『ワンピース』『呪術廻戦』『ブラッククローバー』『ナルト』『ドラゴンボール』『名探偵コナン』『半妖の夜叉姫』『フルーツバスケット』『ママレード・ボーイ』『干物妹！　うまるちゃん』『大家さんは思春期！』『おじさんとマシュマロ』『俺だけ入れる隠しダンジョン』『異世界魔王と召喚少女の奴隷魔術』『オッドタクシー』『精霊幻想記』『チート薬師のスローライフ』……等々。

アニメに詳しくない方は驚かれるかもしれませんが、いわゆる日常系の深夜枠のゆるいアニメが大変な人気です。登場するキャラクターの多くは女子高生でユルユルとした日常が展開されていく。何もオタクの人だけが観ているのではありません。海外の小学生や中学生女子など多くの人々が楽しんでいるのです。

日本の中学や高校の様子が登場する作品が多いことも人気の理由です。海外の人々はそういった日本の学校の常態化した風景が展開される〝ゆるくてふんわり〟としたお話を興味深く喜んで観ているというわけです。

海外の彼ら彼女らが生きる現実世界は格差が凄まじく、自己主張を求められる非常に厳しい社会です。愛想笑いやゆるい人間関係というのは許されず、常に緊張を強いられます。だからこそ現実を離れて楽しめる日本のゆるい「日常系アニメ」を観たいのです。

このような作品の中では、欧米で盛んになっているポリコレや多様性などは無視されており、女子高生の考え方やキャラも日本的で欧米のいわゆる強い女性キャラとはまるで正反対です。

そうかといって、彼女たちが性的に搾取されているとか差別されているわけではなく、〝戦車道〟を追求する乙女やスーパーカブに乗って全国を旅する独立した女性として描かれています。さらには、友達と仲よく料理をしたり日々のことをおしゃべりしたりする、ごく普通のゆるい女子高生なのです。

こういったキャラが登場する作品を全世界の一億人もの人々が求めているというのは

実にすごいことではないでしょうか。

その一方でアメコミやハリウッド映画の人気は凋落しています。多様性やポリコレが追求するようなキャラやお話は一般の人々に求められていないのかもしれません。

日本の皇室は厳かでミステリアスな存在

そのような日本のゆるいコンテンツを求める人々が多数いるなかで二〇二一年に開催されたオリンピックはマーケティング実践の場として重要でした。

開会式や閉会式では何を提供すべきだったのか――。

まず必須なのは日本の伝統芸能や歴史に関するものです。そのためには皇室を前面に押し出すべきでした。日本の皇室は世界一長い王朝で、世界にはその事実を知っている人がかなりいて、各地の王朝を見たいという人も多いのです。

日本の皇室はヨーロッパの王室とはまったく異なり、厳かでミステリアスな存在です。動画サイトでは日本に関して、とても人気があるコンテンツが皇室の行事です。

二〇一九年の「退位礼正殿の儀」は多大な注目を集め、アメリカをはじめヨーロッパでもテレビで詳しい解説付きの放送がされるほどの人気で、動画サイトでも大変な人気となりました。海外の王朝行事がここまで熱心に放送されることは極めてめずらしいこと。日本の皇室がそれだけ人気があることがおわかりになるはずです。

皇室は日本人の想像以上に海外では日本を象徴する存在で、なおかつ好意的な印象を持たれています。人気があるイギリス王室とは歴史も文化も異なり、荘厳で上品かつ衣装や行事もまったく相違する点が魅力的なのです。

これほどまでに愛されている皇室は国の行事にもっと登場してもよいでしょう。今や世界では皇室を先の第二次世界大戦と結びつける人々はもはや少数派です。

さらに海外の人々の中には、日本の能や歌舞伎を観たり、和楽器の演奏を聴いてみたいと思っている人が意外と多い。これは YouTube や動画サイトを観るとよくわかります。日本のコンテンツの中で人気を集めているものがこうした伝統文化のものばかりなのです。

伝統文化を取り入れて現在風にしたものではなくて、家元が直接お茶を手ほどきするものや本物の庭師さんが伝統的な日本庭園の造り方を解説する動画、錦鯉に関する動画、歌舞伎や能の動画といったものが主流です。日本人は見向きもしないようなものも多いですが、海外にはこういった伝統的風習がないからこそ評価されるのです。

特にヨーロッパの場合は、他の国の伝統が長いものや歴史に興味がある人が多いため、東アジアの中でもっとも洗練された文化のひとつである日本の文化に興味を抱く人々がかなりいます。

また日本文化に親しむことは、中流以上の階級にとってある意味でたしなみのようなところもあります。日本文化のように複雑で奥が深いものを理解することを示すことで、「私はそれなりの教養と知性がある人物だ」と言えるのです。

イギリスや欧州大陸の「貴族の館」やそれ相当のレベルにあるホテルに行くと、ラウンジなどに日本の古伊万里が飾ってあったり、庭には日本の盆栽や楓（かえで）が植わっていたりします。なかには完璧な日本庭園を造り上げ錦鯉を飼っている人もいます。

オリンピックで開会式に登場するべきだったコンテンツ

海外の博物館や美術館で日本関係の展示があると、ものすごい数の人が訪れます。そこで展示するものは日本の現代絵画ではなく浮世絵や鎧です。歌舞伎の海外公演はすぐにチケットが売り切れるほど大人気です。

ちなみにコロナ禍の前に開催された大英博物館の「ＭＡＮＧＡ展」は大盛況で初日からすごい人出でした。特別講演で招待された『キャプテン翼』の作者である高橋陽一先生の公演も超満員です。展示を観ている人々は漫画オタクではなく、芸術に興味がある中年以上の白人の美術愛好家だらけでした。

そんな方々が手塚治虫や「ベルばら」などの原本を熱心に見学していました。日本の伝統や芸術の流れとして漫画が生まれたことを理解するために、展示をご覧になった人が大半だったのです。

日本人の多くは日本の伝統文化が海外でこのように尊敬を集めていることをまったく理解していません。昭和四〇年代や五〇年代まではマスコミで企画に関わる方々は海外に関する造詣が深かったり実家が裕福だったりしたので海外留学経験や在住経験があり、日本の伝統文化が海外で大いに尊敬されているのをよく知っていました。

当時の日本の海外向けプロモーションを見るとたいへん奥が深く、本物の日本文化を紹介するようなものが多かった。彼らはターゲットがどんな人々で何を求められているかをよく知っていたのです。

ところが現在はどうでしょうか。マスコミで企画に関わる方々の洞察力は弱いといわざるをえません。日本が貧しくなってきたからか海外経験がある人があまりいないし、何を求められているのかがわかっていないようです。だから期待外れの薄っぺらなものを海外の方に出してしまう。実際に海外の人と一緒に生活をして数多くの会話をしていれば、何が好まれるのかがわかるはずです。

話をもどすと、今回のオリンピックの開会式には、そういった生活レベルでの海外の人との交流がないスタッフが関わっていたのがよくわかりました。コロナ禍で制限があったとしても、期待されることを提供することはできたはずです。

閉会式もしかり。登場するべきだったのは海外で人気がある日本のスターたちだったと思うのです。ハリウッド映画に登場している渡辺謙さん、真田広之さん、そしてカルト的な人気を誇る千葉真一さん、堺正章さん、西田敏行さん、といった方々です。

彼らが出演している作品は海外でたいへん人気があり、よく知られています。侍関連の英語に関しては映画を学ぶ人々の教科書のような状態になっているので、映画に詳しい人は千葉真一さんの作品を熱心に観ています。

そして最近ではビートたけしさんです。たけしさんの映画には賛否両論ありますが、『アウトレイジ』などヤクザ系映画は、海外ではカルト的な人気があります。

先述しましたが、セガが発売しているゲームの『龍が如く』は、海外では『ＹＡＫＵＺＡ』というタイトルで販売されているほどで、『ＹＡＫＵＺＡ』は海外では大変人気があるコンテンツなのです。

こうした情報を知っていれば、開会式の別部門でこのような人気映画に登場する人々に協力していただき、任侠風味や侍風味の寸劇をやるアイデアをはじめ、ほかにも多種多様なアイデアが生まれたのではないでしょうか。

日本の広告代理店と政府の救いようがない時代遅れ感

「週刊文春」の二〇二一年八月五日号で、オリンピックでのかつての台本が公開されていました。今回の開会式の残念さは、この記事を読むと実によくわかります。

・元のメンバー、MIKIKO先生の企画がまともだった
・電通のバブル世代のあわれな人が次々にフレンドを連れてきた
・電通のバブルとフレンドが若手の優秀企画にいちゃもんをつける
・任天堂が思いっきり協力していたがいろいろあって離脱
・MIKIKO先生がたぶん嫌になってやめる
・電通のバブルチームが元のチームの成果をパクる
・ところがバブルセンス山盛りのサブカル寸劇になる
・都知事とその他政治家が政治案件をねじ込む

という内容です。さらに分析すると次のようになります。

・政治案件優先の団塊世代の人たち
・実力がないバブル世代が他人の褌(ふんどし)で相撲を取る
・実力はあるが発言権も決裁権もない氷河期世代の心が折れる
・民間下請けがいびられる
・ひどいプロジェクトが完成

これらはどこかで見たことがある流れですね。

開催の一年ほど前に突如解散になってしまったダンサーで振付け師、プロデューサーのＭＩＫＩＫＯさんチームの案は、海外の人々の好むことを知っている人々にとってはたいへん納得がいく内容で、リオのオリンピック閉会式の流れをくんだ素晴らしいものでした。まさによい意味でのクールジャパンの王道です。

ＭＩＫＩＫＯ先生の案では冒頭にアニメ『ＡＫＩＲＡ』のバイクが登場します。

『ＡＫＩＲＡ』は海外の認知度が高く、アニメのさまざまな部分が映画『マトリックス』やその他のドラマや映画などに使用されているほどです。

英語圏やフランスでも『ＡＫＩＲＡ』のコミックスは漫画売り場に必ずあるほどで、日本の漫画クラシックといえば手塚治虫よりも『ＡＫＩＲＡ』なのです。いま観ても非常に完成度が高い作品なため「Netflix」でも観ることができます。

海外にはあのように大人向けで完成度が高いアニメが一九八〇年代にはなかったし、今も『ＡＫＩＲＡ』のレベルに匹敵するような作品は残念ながらありません。だから『ＡＫＩＲＡ』を登場させたのは海外の人のことをよく知っている方が企画したものなのだなということがよくわかるのです。

海外では圧倒的人気の任天堂が使われなかった訳

開会式の原案にはスーパーマリオが登場していました。海外では任天堂のコンテンツはかなりの人気があります。スーパーマリオは今の四〇代から五〇代の認知度が極めて高く、子どもたちも「Nintendo Switch」やスマホ版になったマリオが大好きです。

さらに任天堂のゲームで育った人も多いため、子どもにゲームキャラクターの名前をつけている人が少なくありません。

なぜ任天堂がそんなに人気があるのかというと、マリオやポケモンといったゲームは独特で、欧米の人々の感覚では絶対に生み出せないキャラクターやユニークなコンセプトのゲームだからです。あのキャラクターの可愛さや色使いは秀逸で、他の国ではそういうキャラクターを後になってコピーしはじめたのです。

マリオやポケモンの登場以前となる海外のゲームキャラとかアニメキャラを見ると、いわゆる典型的な昔ながらのアメコミ風のデザインが多く、ちょっと恐ろしげなものも多くありました。それが任天堂によって「かわいい！」という概念が世界中に広まり、現在では業界標準となっているのです。

ポケモンに関しては普及率も高く、欧米だけではなくアフリカや南米、中東といったほぼ全世界でゲームやキャラクターが愛されています。

これは前作『世界のニュースを日本人は何も知らない2』にも書きましたが、世界のコンテンツの売り上げは任天堂系がトップ20を独占し、ポケモンに関しては「マーベル」や『スター・ウォーズ』よりも人気があるのです。

任天堂は世界的にみてディズニーよりも強烈なコンテンツを有した会社です。だからオリンピックに任天堂のキャラクターや曲が登場するのは自然な成り行きでした。

ところが今回の開会式で任天堂は一切登場せず『ファイナルファンタジー』や『ドラゴンクエスト』の音楽が入場行進に使われました。

これらのゲームのプレイヤーは海外にもいますが、任天堂に比べると頭数が限られています。どちらかというとコアなゲーム好き。だから、あの入場曲を聴いてもいったい何なのかわからない人が多かったのでしょう。

開会式登場を熱望したYouTubeで大人気のピコ太郎

私が登場させるべきだと考えたのは、「YouTube」で大人気になったピコ太郎さんです。海外では今でも人気者で、もはや日本を代表する歌手といえるほど有名なのです。

オリンピックの開会式や閉会式は言語に関係なく、わかりやすく目立つキャラクターで大人も子どもも楽しめるのがポイントです。ピコ太郎さんは音楽のレベルも高いので、かなり耳の肥えた人もハッと思わせることができたでしょう。

どの国の人々もおもしろいものが好きなのです。あの真面目そうな日本人がこんなにおもしろキャラになってしまうのがミソで、つまり「ギャップ萌え」ですね。

彼を知っている人はアフリカのかなり田舎のほうにもいます。「YouTube」は先進国だけでなく発展途上国でも見ている人が大量にいるのだから、そんな有名人がオリンピックに出てきたら大喜びですよ。しかもコロナ禍でみなさん気分が沈んでいるなかでパッと明るい曲と踊りをやってもらえていれば、気分が晴れる人も多かったのではないでしょうか。

こういったネット発の有名人が今回のオリンピックではまったく登場しないことに、私は日本の広告代理店やコンテンツ業界、政府の人々の世間とのズレと時代遅れを痛感しました。世の中ではネット発のものが主流になっているのにもかかわらず、彼らにとっては、まだまだテレビや雑誌で有名になって、日本で人気のものがメジャーだという意識なのでしょう。

欧米ではインターネットのインフルエンサーが企業の広告に登場したり、テレビ番組のホストをしたりすることが、まったくめずらしくなくなっているのにもかかわらず、日本ではまだまだ認知されないようです。

その一方で日本の若い人や子どもたちは、テレビや雑誌から離れＨＩＫＡＫＩＮさんやネットのゲーム中継動画に夢中なのです。こういう状況から日本のメディアの先行きは非常に危ういといえましょう。まるで一九七〇年代に氷河期を経験した映画業界をみているようです。

第10章　世界の「重大なニュース」を知る方法

情報の読み方を日本人は知らない

日本人をだますのは簡単です。

日本では学校で情報の読み方を体系的に教えていません。だから日本人は、自分が目にした情報の裏をよく考えずに信じ込んでしまう人が多いのです。

一方、欧米では子どもの頃からどうやって情報の裏側を読み取るかを訓練させます。これらの国では他人のことは基本的に信用しないのが当たり前。他人は相手をだましてもなんら悪びれず、だまされるほうが悪いという感覚が根づいています。

そういう社会ではどんなことを教えているのでしょうか――。

イギリスの場合は教育熱心な学校だと小学校一年生から「事実的」な文章やニュースを見たり読んだりする際には、以下のことに注意せよと教育されます。

・どんな媒体なのか？

・誰が運営していてお金の出どころはどこか？

・媒体の政治的なポジションはなにか？
・読者は誰か？
・何を目的とするか？
・何かを売りつけたい／政治的な意識を変えたい／宣伝したい／娯楽を提供したい
・誰が書いているか、つくっているか？
・製作者や筆者の実績や背景／支援者／協力者
・発表された日時
・なぜそのタイミングで出したか？
・関連する重要な事件は？
・自分自身の思い込み　等々

これらはリテラシーを持つために非常に大切な考え方だと思います。

たとえば訓練として、常に観ているテレビ番組や毎日のように読んでいる新聞の記事、ニュースをひとつ拾ってみて、これらの評価の指標に当てはめてみてください。自分がいかにそのような情報の意図や裏側をいつも真剣に考えていないか、ということがよくわかるのではないでしょうか。

フェイクニュースの見分け方

ここ最近さらに話題になっているフェイクニュースですが、それを見分ける・疑いを持つためのコツを以下にご紹介しておきましょう。

・異常に人気がある（ページビューや「いいね」が多い）
・書いている人が匿名
・とにかく「！」が多い
・字が間違っている
・胡散くさい場所から配信されている（例：タックス・ヘイブンの国）
・やたらと絵が多い

・写真や絵を他のサイトから盗んでいる
・典型的な陰謀論が満載（例：人工地震）
・怪しい音楽が流れる
・アクセスカウンターが設置されている
・左から右へ流れるＧＩＦアニメを設置
・なぜか仮想通貨を推している
・サラリーマンを非難してフリーランスを称賛
・「たった一日でなんちゃら」「たった一〇秒でなんちゃら」
・とりあえず意識が高い
・かなり空白が多い
・断捨離を必要以上に強く勧めている
・頻繁に白いシャツの人が出てくる
・超高価な製品をアゲアゲ
・浄水器、英会話教材、情報商材のアフィリエイトリンクが多い

「書いている人が匿名」というのは日本の大半の新聞に当てはまります。週刊誌やスポーツ新聞は実名なのに、なぜか大新聞は匿名。フェイクニュースの見分け方に照らし合わせたら由々しきことですね。

信頼できる科学情報の探し方

このようにフェイクニュースや適当な情報に惑わされやすい現代ですが、コロナ禍を体験したみなさんが今いちばん興味をもっているのは、どうやったら正確な科学技術や医療に関する情報を探し出せるのだろうということではないでしょうか。

今回はそのような情報を探すためのサイトを一〇個ご紹介します。僭越ながら、一応この本も真面目かつ役に立つ話で最後を締めていきます。

1. Google Scholar（http://scholar.google.com）

まずは世界でもっともよく使われている論文検索サイトです。このサイトは無料で世界中の学術論文を検索することが可能でプロの学者もこれをよく使っています。

2. CiteSeerX（http://citeseerx.ist.psu.edu/index）

これはコンピュータ・サイエンスの学術論文を探すサイトです。一般の人だけでなくコンピュータ・サイエンスを勉強している学生さんにも役立つもので実務家にも最適です。

3. GetCITED（http://www.journalijar.com/home/getcited）

これも学術論文を探すのには適しているサイトです。論文だけでなく引用もきちんと出てきます。

4. Microsoft Academic Search（https://academic.microsoft.com/home）

「Microsoft」が運用する学術論文のサイトです。なんと四八〇〇万件の論文を検索することが可能です。

5. Bioline International（http://www.bioline.org.br）

公衆衛生や栄養学に関する七〇以上の学術論文誌が検索可能なサイトです。世界でもっとも信憑性が高いといわれ、健康関連に興味があればこのサイトで検索してみましょう。

6. Directory of Open Access Journals（http://www.doaj.org/）

科学、いわゆるサイエンスに関するサイトです。八〇〇〇以上の学術論文誌を検索することができます。

7. PLOS ONE（https://journals.plos.org/plosone）

このサイトもたいへんな数の学術論文を検索することが可能なサイトです。すべての論文で厳しい査読が行われています。

8. Science and Technology of Advanced Materials（https://iopscience.iop.org/journal/1468-6996）

このサイトでは無償でアクセスできる論文を大量に提供しています。

9. New Journal of Physics（https://iopscience.iop.org/journal/1367-2630）

The Institute of Physics（イギリス物理学会）and Deutsche Physikalische Gesellschaft（ドイツ物理学会）が運用するサイトです。主に物理に関する論文を検索することができます。

10. ScienceDirect（https://www.sciencedirect.com）

二五〇〇以上の学術論文誌や一万冊以上の書籍から科学技術に関する情報が蓄積されています。テキストサーチで検索・提供しています。

検索力の身につけ方

このように数多くのサイトでは、学術論文や役に立つ科学技術情報が多数提供されています。問題はどのように検索するかです。

検索する際にはその検索するべきフレーズや用語をうまく選ばなければ自分が求めるものが出てきません。このノウハウを身につけないと、いつまでたっても他人に押し付けられる記事や情報を読むほかない。正しいリテラシーを身につけるのには検索の方法を熟知すること、すなわちサーチテクニックが重要です。

スキルを学ぶのに参考にするべきなのは図書館情報学です。私のアメリカでの大学院専攻課程のひとつは情報管理学で、通学していた大学院には図書館情報学がありました。その研究室には、情報の探し方やインデックスの付け方を専門にする研究者がいました。

カリキュラムのひとつとして情報の検索方法を大学院で習ったのです。その際に日本では多くの人々が図書館で学べる情報検索のスキルをないがしろにしているがために、欲しい情報が手に入らないということを実感しました。

大学の図書館や公立図書館では情報検索の方法を指導してくれるところがあったり資料を公開したりしているので自分で探して勉強してみてください。

検索のテクニック本ならば書店で一般向けの簡易化された書籍が出ているのですが、そういったものよりも図書館情報学を専門に研究している方や図書館の実務家である司書の方が書いたものをおすすめします。データベースの概念から説明していて、どうしてそのような情報が出てくるのかという仕組みがわかるものです。

最後に、情報を検索するためのノウハウが記されたWｅｂツールの事例をふたつだけご紹介して本書の執筆を終了させていただきます。

・東京大学　レポート・論文支援ブック：ここから始めよう【Ｗｅｂ版】

(https://www.lib.u-tokyo.ac.jp/ja/library/literacy/user-guide/campus/report)

・名桜大学附属図書館　データベース検索の基本

(https://www.meio-u.ac.jp/library/guide/database.html)

おわりに

今回の「世界のニュースを日本人は何も知らない」シリーズ第三弾では、第二弾の新型コロナに特化した情報から離れて、海外での日本の評判や王室情報、海外の身も蓋もない風俗やドラッグの話まで幅広く取り上げました。本書でみなさんの外国に対する見方や考え方になんらかの新しい見解が提供できたことを期待いたします。

ところで本書の中では触れておりませんが、幅広い情報を得るのにたいへん重要なのが「英語で情報を探す」ことです。なぜかというと、日本語と比べて英語を使っているユーザーは世界中に数多く存在していて、情報を発信する場合でも英語のほうが明らかに多いからです。

世界の学術論文の大半は英語で発表されています。つまり医療や科学技術、ＩＴに関する最新の情報を知りたければ、英語ができないとどうしようもないのです。

最近では翻訳サイトさえ使えば意味がわかるのだから英語は適当に勉強しておけばよいという方がいらっしゃいますが、それは大きな間違いです。

なぜかというと、先ほど本文の中で述べたように「情報をどのように検索するか」が大きなポイントなのですが、求める情報を引き出す際に英語でキーワードやフレーズを入れます。その際、自分の求める必要な情報がありそうなところに目星を付ける作業は英語をよく知らないと不可能なのです。

これは翻訳サイトを駆使してできることでありません。

「あたりをつける」ことは、どこに自分が求める情報があるかを経験から理解することなので、英語で相当量の情報を読んでいなければ身につかないのです。

豊かな情報を得たいと思う方は、今からでも遅くないので英語を一生懸命勉強してください。中高生や大学生の場合はなんだか簡単そうな英会話をやるのではなく、英語をきちんと読んで書けるようにすることです。

学校の英語の勉強をしっかりとやってください。

英語を学ぶのにはＨＲ／ＨＭ（ハードロック／ヘビーメタル）を毎日聴くことも有効

です。なぜかというと、このジャンルの音楽は難解な言葉を使うことが多く、魔術やドラゴン、鋼鉄、拷問などトピックもたいへん豊富なので英語を学ぶのに最高の分野なのです。

逆にヒップホップやテクノは出てくる言葉が少ないので、あまり勉強になりません。生意気にそんなことを論じて「あなたが自分の趣味を押し付けたいだけだろ」と言われそうですが、HR/HMは実際に英語の勉強には役に立ちます。ぜひとも挑戦していただきたいものです。

しかもHR/HMを聴くと知能が高くなるという研究結果もあるほどなので認知症予防をしたい方ほど、このジャンルの音楽を聴くべきなのです。

なにより大切なのは、情報化社会において重要なのは英語を話すことではなく、英語という言語で提供される文字情報から自分が求めるものを読みとることであることを忘れないでください。

最後に、ご紹介した本書のなかの海外のどうしようもない項目（ネタ）を読むことで「世の中には〝しょうもないこと〟がたくさんあるのだな」と思え、自分が今悩んでいることはあまり深刻ではないのではないか――という気がしてくるなど、みなさまの気晴らしにもこの本をご活用いただけておりましたら幸いです。

谷本 真由美

谷本真由美（たにもと まゆみ）

著述家。元国連職員。1975年、神奈川県生まれ。

シラキュース大学大学院にて国際関係論および情報管理学修士を取得。

ITベンチャー、コンサルティングファーム、国連専門機関、外資系金融会社を経て、現在はロンドン在住。日本、イギリス、アメリカ、イタリアなど世界各国での就労経験がある。

ツイッター上では、「May_Roma」（めいろま）として舌鋒鋭いツイートで好評を博する。

趣味はハードロック/ヘビーメタル鑑賞、漫画、料理。

著書に『キャリアポルノは人生の無駄だ』（朝日新聞出版）、『日本が世界一「貧しい」国である件について』（祥伝社）、『不寛容社会』（ワニブックスPLUS新書）など多数。

世界のニュースを日本人は何も知らない3
大変革期にやりたい放題の海外事情

2021年12月25日　初版発行
2022年2月25日　3版発行

著者　谷本真由美

発行者　横内正昭
発行所　株式会社ワニブックス
〒150-8482
東京都渋谷区恵比寿4-4-9えびす大黒ビル
電話　03-5449-2711（代表）
　　　03-5449-2734（編集部）

装丁　小口翔平＋須貝美咲（tobufune）
フォーマット　橘田浩志（アティック）
編集協力　山田泰造（コンセプト21）
校正　玄冬書林
編集　内田克弥（ワニブックス）

印刷所　凸版印刷株式会社
DTP　株式会社 三協美術
製本所　ナショナル製本

定価はカバーに表示してあります。

ISBN 978-4-8470-6665-8
ワニブックスHP　https://www.wani.co.jp/
WANI BOOKOUT　https://www.wanibookout.com/
WANI BOOKS NewsCrunch　https://wanibooks-newscrunch.com/